Comment devenir « Superdétective »

avec un copain collant, des croquettes pour chat et un peu d'*imagination*

Du même auteur, dans la même série :

*Comment se débarrasser d'un vampire avec du ketchup,
des gousses d'ail et un peu d'imagination*

J.M. ERRE

Comment
devenir
" Superdétective "

avec un copain collant, des croquettes
pour chat et un peu d'imagination

À Lili et Talie

Direction artistique : Blaise Jacob
Couverture et intérieurs : Clémence Lallemand
Mise en pages : Graphicat

ISBN : 978-2-7002-5321-4
ISSN : 2491-9845

Chère lectrice, cher lecteur,

Aujourd'hui, c'est ton jour de **CHANCE** ✿.
Je ne sais pas si tu es une fille ou un garçon (ou autre chose), je ne sais pas si tu es laid comme un pou ou beau comme un cœur (franchement, tu as déjà vu à quoi ressemble un cœur en vrai ?), je ne sais pas si tu es aussi irrésistible qu'une mousse au chocolat ou aussi passionnant qu'une huître en

pleine sieste, mais il y a une chose que je sais : aujourd'hui, c'est ton jour de **CHANCE** car tu as choisi d'ouvrir un livre écrit par **MOI, ZAZIE** !

Tu penses peut-être que je suis du genre à me vanter ? C'est un reproche que me font souvent mes parents. Et parfois mes amies. Et de temps en temps un peu tout le monde... Ce n'est pourtant pas ma faute si j'ai toujours raison ! Même si les gens exagèrent en parlant de moi, je suis prête à faire des efforts pour améliorer mes rares défauts.

Hier soir, je l'ai annoncé à mes parents :

– Maman, papa, j'ai quelque chose d'important à vous dire.

– Tu vas nous aider à faire la vaisselle ? (Mon père se croit drôle.)

– Tu as enfin rangé ta chambre ? (Ma mère aime aussi l'humour.)

– J'ai décidé de devenir la fille la plus modeste du monde !

– Seulement du monde ? a ricané papa.

– Pourquoi pas de l'univers ? a gloussé maman.

On fait des efforts et on récolte des moqueries ! Il ne faut pas chercher à comprendre : mes parents ne savent pas ce qu'ils veulent.

Quand je t'annonce que tu as de la chance d'avoir choisi mon livre, je dis simplement la vérité. Tu seras d'accord avec moi : on ne sait jamais sur quoi on va tomber quand on commence un roman.

Par exemple, si mon cousin Lucas, créature mi-humaine, mi-animale, se mettait en tête d'écrire un livre, ça donnerait ça :

Je m'appelle Lucas et je n'ai pas de cerveau. Je vais vous raconter mes 348 plus belles gamelles en vélo.

Ça fait envie, non ? Autant que si Kévin, un élève de ma classe qui passe son temps à courir derrière un ballon, se mettait à s'exprimer à l'écrit.

Chère lecteur, esse que tu aime lé baballes? Moi, j'ador lé baballes. Je raive toujoure de baballes. Et même qu'un jour, j'ai manger une baballe.

Heureusement, on est à l'abri. Le jour où Lucas ou Kévin pondront des livres, les poules auront des dentiers.

Le pire, ce serait de subir une histoire racontée par une de ces nunuches qui

occupent leurs journées à glousser à propos
des garçons, comme les jumelles Charlotte et
Camille, mes meilleures ennemies, que j'appelle
toutes les deux « Charmille »
ou « Photocopie » (ça les
énerve, j'adore). Elles seraient
du genre à publier leur journal
avec une couverture rose couverte
de cœurs.

*Mon journal chéri d'amour, je suis la fille
la plus heureuse de l'univers ! Kévin est venu
me parler dans la cour ! J'ai failli m'évanouir !
Il m'a proposé de jouer à la baballe !!! Trop cool
grave je meurs !* { **KISS** }

Tu vois à quoi tu as échappé ? Tu comprends
pourquoi tu as beaucoup de chance ? Te voilà
prêt à découvrir l'univers de **ZAZIE**, une
fille dont la sublime beauté et l'incroyable
intelligence vont... Quoi ? D'accord, je me
calme...

Et si, pour changer, on parlait un peu de toi, chère lectrice, cher lecteur ? C'est vrai, le lecteur a l'habitude de juger l'auteur, de le trouver

□ génial
□ bon
□ bof
□ beurk (coche la case de ton choix). Alors pourquoi l'auteur ne pourrait-il pas donner un avis sur son lecteur ? Par exemple, es-tu du genre à suivre mon histoire avec une super concentration ou plutôt du style à te curer le nez en rêvassant au bout de trois pages ? Vas-tu rire et trembler à mes aventures ou me liras-tu avec l'énergie d'un poulpe mort ? Un auteur a besoin de son lecteur : je ne veux pas te mettre la pression, mais il va falloir que tu sois à la hauteur, et pas bof beurk !

Comme je ne compte pas passer mon temps à écrire « chère lectrice, cher lecteur », je te propose de participer un peu.

Quand je m'adresserai à toi, j'écrirai « **Cher** .... » en laissant un espace dans lequel tu pourras écrire ton prénom. Si tu es une fille (félicitations), tu ajouteras le féminin à « Cher », comme ça : chère. Eh oui, en grammaire française, le masculin l'emporte sur le féminin ! Encore une injustice contre laquelle je compte me battre quand je serai présidente de la République !

Si tu as pris ce livre dans une bibliothèque et qu'il y a déjà un prénom inscrit, demande à tes parents de t'acheter ce roman rien que pour toi.

N'hésite pas à insister en faisant la tête d'un chaton malheureux, les parents finissent toujours par craquer.

Que faire si tu as horreur d'écrire sur les livres ? C'est simple : n'écris pas sur ce livre. Oui, je suis la REINE des solutions. Mon futur slogan pour les élections présidentielles : « Avec Zazie, fini les soucis ! »

Maintenant, je vais pouvoir te raconter L'incroyable histoire qui m'est arrivée et qui devrait rester gravée dans ta mémoire jusqu'à la fin de tes jours. Comment ? Je me vante de nouveau ? O.K., je recommence : j'espère juste que tu vas prendre plaisir à mon histoire. (C'est mieux, non ?)

Tiens, la preuve que je suis plus modeste que le prétendent les mauvaises langues : je ne serai pas l'héroïne de cette histoire. Le personnage principal, ce sera Roudoudou, mon chat d'amour ! Le plus merveilleux animal de la Terre. Un bon **GROS** matou moelleux plein de poils, spécialisé dans les câlins.

Enfin... quand il le veut bien ! Car Roudoudou a du caractère.

Je ne dirais pas qu'il est difficile à vivre, **NON**, c'est juste qu'il faut respecter certaines règles avec lui : ne jamais le déranger quand il dort (c'est **DANGEREUX**), ni quand il fait sa toilette (c'est très **DANGEREUX**), ni quand il mange (c'est **FATAL**). Le reste du temps, pas de souci, on peut le câliner, en faisant quand même attention. Parfois, je m'interroge : est-il au courant que l'animal de compagnie, c'est **LUI** et pas moi ?

Kiss Kiss

De ton côté, tu dois te demander ce qui a bien pu arriver de si incroyable à mon ROUDOUDOU. Tu vas bientôt le savoir. Bienvenue dans mon étonnante histoire, *cher* .... Oh, tu as un joli prénom. Hein ? Bien sûr que je suis sincère, pourquoi ?

Allez, ça commence tout de suite...

Tout a débuté début juillet, alors que je me sentais terriblement SEULE. Ce qui est pénible avec les vacances d'été, c'est que vos meilleures amies s'en vont de leur côté et que vous vous retrouvez ABANDONNÉE. Julie faisait de la randonnée en montagne avec ses grands-parents et Kenza bronzait sous le soleil du Maroc jusqu'à la rentrée. On s'était dit qu'on s'enverrait des mails, mais les copines ne sont pas passionnées par l'écriture. Un exemple ? Prépare-toi au CHOC.

De < juliebeautefatale@gmail.com > à < zazie.lol@free.fr >

Ma Zazoune,

Tu vas bien ? Moi, je vais "**SUPER**" bien. Il fait super beau à la montagne. Papi et mamie sont super sympas et on mange des trucs super bons. Bon, à part ça, j'espère que tu vas bien.

Super gros bisous !!!!

Un commentaire sur ce message ? Non ? On est d'accord, il vaut mieux se taire. De son côté, Kenza est une acharnée du langage SMS.

De < queen.kenza@yahoo.com > à < zazie.lol@free.fr >

Slt Zazoune ☺,

jSpR ktu va bi1, kwa d'9 ? m jvb, c coule o Maroc ;-) ya 1 garçon ♥ "**TRO**" beau ♥ à la piscine tt les jours ♥ mè j'ose pas l8 parler !!! ♥♥♥♥ !!!

tu me manq tro ma bel. :'(@+ bizzzzzzzz ☺ ★

Je ne sais pas ce que tu penses de cette façon d'écrire, moi ça me pique les yeux ! Voilà ce que je lui ai répondu : Slt Kenzoune ☺, rtyz bl@bl@struc xza$tpg mjv baf lol ☺ mktwaq mè jenr !!! Biz !

Je te rassure, ça ne veut rien dire. J'espérais juste qu'elle allait passer un temps fou à essayer de déchiffrer le message !

Quant à Anaïs, ma demi-meilleure amie (car on est fâchées un jour sur deux), elle voyageait en Italie avec ses parents et elle m'envoyait de longs messages pour me rendre jalouse. Anaïs écrit très bien, mais c'est une vraie peste. Parfois elle ose même se moquer de mon zozotement ! (Oui, je zozote. Des commentaires ?)

Bien entendu, je ne me laisse pas faire. Je suis très inventive pour me venger. Et quand je lis des mails comme celui-ci, mon imagination galope...

De < anais.star@gmail.com > à < zazie.lol@free.fr >

Chère Zazie,

Nous sommes à Rome, la capitale de l'Italie, une des plus belles villes du monde. Tout est si incroyable ! Le Colisée (où j'ai mangé une glace), la chapelle Sixtine (où j'ai picoré des bonbons), la Fontaine de Trévi (où j'ai dégusté une barbe à papa). Je sais, j'ai trop de chance, tout le monde aimerait être à ma place.

Et toi, comment vas-tu ? Est-ce qu'il fait beau dans notre petite ville où il ne se passe jamais rien ? Tu dois bien t'amuser dans la rue de ton lotissement que tu vois toute l'année pendant que moi je visite la maison du pape au Vatican, où j'ai eu droit à une crêpe succulente.

Allez, je dois te laisser, nous partons pour Venise, une autre plus belle ville du monde.

ANAÏS = SADIQUE. J'avais envie de lui crier : « Continue de t'empiffrer, j'espère que tu vas revenir avec dix kilos en plus ! », mais ça lui aurait fait trop plaisir que je m'énerve.

J'allais devoir souffrir en silence pendant cet été INTERMINABLE, car on ne devait partir en vacances que les deux dernières semaines d'août. Je me suis donc permis de me plaindre un peu à ma mère (exceptionnellement) :

– Je vais passer l'été toute seule !

– Je te rappelle que tu as refusé d'aller en colonie de vacances.

– C'est dangereux, les colonies. Il y a plein d'insectes dans les dortoirs.

– Tu m'en diras tant...

– Et des bactéries dans les douches.

– Ben voyons...

– Et des épinards à la cantine.

BACTÉRIES

– Et chez ton cousin Lucas ? Tu n'as pas voulu y aller non plus. Il y a des bactéries ?

– Mais maman... Lucas EST une bactérie !

Il restait la solution de mes grands-parents. L'année dernière, j'avais testé chez eux plein d'inventions géniales comme la télévision sur patins à roulettes, pour regarder ses émissions préférées dans son bain comme aux toilettes, ou encore la canne à pêche de table pour attraper le pain, le sel ou un dessert supplémentaire. Malheureusement, cet été, papi et mamie sont partis deux mois à l'étranger. Ils ont dit que c'était un voyage en promotion, qu'ils n'avaient pas pu changer les dates et qu'ils étaient très tristes de ne pas pouvoir s'occuper de moi. Dommage parce que j'avais plein d'autres inventions en tête ! PAS LÀ

Tu sais ce qu'Anaïs a osé persifler façon vipère ? Que mes grands-parents sont partis exprès deux mois pour ne pas me prendre chez eux parce que je les avais épuisés l'année dernière ! Si ce n'est pas de la méchanceté gratuite, ça ! Comme si j'étais du genre à fatiguer les gens...

BREF, au premier jour des vacances, j'étais une Zazie DÉLAISSÉE, ABANDONNÉE, DÉSESPÉRÉE, et il était impossible de chercher du réconfort auprès de mes parents qui sont des *MONSTRES*

froids et cruels. Tu veux une preuve ? Attention, le dialogue qui suit est déconseillé aux âmes sensibles.

– Mon papounet chéri ?

– Oui, Zazie ?

– Tu veux que j'aille chercher le courrier ?

– Oh oui.

– Tu veux que je mette la table ?

– Oh oui.

– Tu veux m'acheter un iPhone ?

– Oh non.

Tu as vu ça ? La gentillesse d'un côté et la cruauté de l'autre ? Comme je n'avais plus école, mes parents estimaient que je devais passer mon temps à les aider dans la maison ! ALLÔ, nous vous rappelons que le travail des enfants est interdit ! Et l'esclavage aussi ! Attention, maman entre en scène :

– Zazie ? Tu m'entends ?

– Non.

– Tu n'entends pas mais tu réponds ?

– Non.

– Zazie, s'il te plaît, tu peux venir m'aider ?

– Tu m'achètes un iPhone si je viens ?

– Viens tout de suite ou je ne t'achète-rai plus rien !

Tu vois le genre ? Des menaces, toujours des menaces ! Donc, pour résumer : pas de grands-parents, pas de copines, un cousin plus pénible que le moustique tigre et des parents sans cœur. L'été s'annonçait très pénible.

J'étais sûre que ça allait être L'HORREUR, mais je me trompais.

Ça a été PIRE.

À cause de ce qui est arrivé à Roudoudou.

Qu'est-ce qui est arrivé ? Un peu de patience, cher .... Je vais tout te raconter.

€n plus de la ⸙**SOLITUDE**, cet été, j'ai dû subir la ☼**CANICULE**☼. Le thermomètre n'est pas descendu en dessous de 30° C. En tout cas, c'est ce que disait la météo, moi je pense qu'on était au moins à 50° C. Il faisait tellement chaud que je transpirais sous la douche (si, c'est possible).

Canicule + solitude, c'était la catastrophitude. Je sais, ça n'existe pas, mais ça devrait.

Pour nous soulager un peu, maman a acheté un brumisateur.

C'est une bombe aérosol qui te vaporise de l'eau dessus. Super agréable ! J'ai voulu l'essayer pour vérifier si ça marchait : un coup sur le visage, un pschitt sur le ventre, un chatouillis sur les pieds, c'était **GÉNIAL**.

J'ai aussi voulu en faire profiter Roudoudou, mais il n'a pas apprécié la petite giclée sur sa truffe et il s'est vengé en faisant ses griffes sur mon oreiller. C'est qu'il ne faut pas le chercher, Roudoudou. Il est rancunier ! Pourtant il souffrait beaucoup de la chaleur. Avec la masse de poils qu'il trimballe, il est plutôt adapté pour une expédition sur les traces des pingouins dans le grand Nord.

En hiver, Roudoudou est la plus moelleuse des bouillottes, mais en été, il lui faudrait une climatisation portative.

Le brumisateur n'avait qu'un défaut : il se vidait hyper vite. C'est simple, maman n'a même pas eu le temps d'en profiter alors que c'est elle qui l'avait acheté, la pauvre. Elle m'a demandé si je m'en étais servie. J'ai répondu non puisque j'avais à peine appuyé dessus une fois. Ou deux, maxi. Elle est allée le rapporter au supermarché mais ils n'ont pas voulu le lui rembourser. C'est vraiment de l'arnaque, ce truc.

Pour rafraîchir mon Roudoudou *d'amour*, j'ai inventé une technique infaillible. J'ai pris des glaçons, je les ai entourés d'un fil, j'ai fait un nœud et je les ai accrochés à un ventilateur que j'ai poussé à fond. Les glaçons fondaient et ça envoyait de l'air frais et des gouttelettes qui faisaient ronronner mon chat.

C'est le genre d'invention qu'il faut faire breveter, je peux devenir millionnaire avec ça. Il faut juste que j'arrive à résoudre le problème de la flaque d'eau au pied du ventilateur quand les glaçons fondent, mais c'est un détail.

Tout ça, c'est la faute du réchauffement climatique !

J'ai vu un reportage qui explique qu'à cause des voitures et des usines, on envoie plein de gaz polluants dans l'atmosphère. Le climat est perturbé, la banquise fond, le niveau de la

mer monte et la température grimpe. Résultat, cet été, les ours polaires et moi, on crevait de chaud. Et c'était encore plus dur pour les ours car ils ne connaissent pas le ventilateur à glaçons.

Comment lutter contre le réchauffement climatique ? J'avais ma petite **IDÉE** 💡, je suis vite allée en parler à mes parents :

– Papa, maman, qu'est-ce que vous faites contre le réchauffement climatique ?

– On va souvent au travail à vélo.

– C'est bien, mais vous pourriez faire plus.

– On fait le tri sélectif de nos déchets.

– C'est vrai, mais vous pourriez faire plus.

– On économise l'énergie.

– D'accord, mais vous pourriez...

– Zazie, dis-nous ce que tu as derrière la tête, qu'on en finisse !

– J'ai une solution miracle pour sauver votre fille chérie qui va finir carbonisée avant la rentrée.

– Laquelle ?

– Il faut installer une **PISCINE** dans le jardin.

C'est logique, non ? On se trempe et on ne sent plus le réchauffement climatique ! Eh bien, tu vas être étonné, mais papa et maman m'ont ri au nez en me disant qu'une piscine, c'était anti-écologique. C'est peut-être vrai, mais ça m'a quand même vexée !

Une piscine... Au début de cet été, c'était mon rêve absolu, ex æquo avec l'iPhone. Un excellent moyen pour se rafraîchir tout en faisant rager Anaïs, qui adorerait avoir une piscine elle aussi. D'ailleurs, j'avais pris un peu d'avance en lui envoyant ce mail en réponse au sien :

De < zazie.lol@free.fr > à < anais.star@gmail.com >

Chère Anaïs,

Je suis heureuse de savoir que tu t'amuses en Italie car tu en as bien besoin après toutes les mauvaises notes que tu as eues au dernier trimestre. Tu as de la chance que tes parents t'offrent autant de **SUCRERIES** : contrairement aux miens, ça ne les dérange pas d'avoir une fille avec quelques kilos en trop. La seule chose qui doit être un peu dure en Italie, c'est la **CHALEUR**.

Chez nous, il fait une température super agréable. En plus, mes parents m'ont fait une surprise en installant une piscine dans le jardin ! Je passe mon temps dans l'eau avec plein de copines, c'est génial. Mais ça doit être sympa aussi de passer ses journées avec son papa et sa maman à transpirer devant des vieilles pierres tout en mangeant des glaces chaudes.

Il faut que je te laisse, mon maillot de bain n'aime pas rester sec trop longtemps.

Bon, je m'étais peut-être un peu avancée avec le coup de la piscine, mais on était début juillet, il me restait encore du temps pour convaincre papa et maman...

Heureusement, dans mon malheur, j'avais des amis fidèles : les livres ! Jamais ils ne m'abandonnent, jamais ils ne me trahissent. Je les dévore comme des éclairs au chocolat.

Chez nous, il y en a partout. Depuis que je suis petite, j'adore les regarder, rêver sur leurs titres et en prendre dans la bibliothèque de mes parents. Surtout les romans d'aventures et les histoires à énigmes, que je lis en cachette le soir, sous ma couette, avec ma lampe de poche.

Évidemment, avec la chaleur de cet été, j'ai viré la couette et la lampe. J'ai même fini *Vingt mille lieues sous les mers* de Jules Verne dans ma baignoire en prenant un bain froid. Pendant le combat contre la pieuvre, j'ai cru sentir

un tentacule me cha-
touiller les orteils ! Ce
n'était qu'une éponge,
mais c'était horrible.

Parfois, les livres te
font faire des choses
folles parce qu'ils mettent
ton imagination en surchauffe. Un jour,
après avoir lu *Dracula* de Bram Stoker, j'ai

cru que mon maître était un
vampire ! Si tu veux des détails,
cher ...., trouve mon
journal intime en librairie[1].

Pour survivre à cet été **MAUDIT**,
j'allais donc me plonger dans les livres à plein
temps. Voilà la décision que j'avais prise, juste
avant que ma vie bascule.

Juste avant de sombrer dans l' **ABOMINATION**.

---

1. *Comment se débarrasser d'un vampire avec du ketchup, des gousses d'ail et un peu d'imagination*, Rageot, 2016.

Il était sept heures du soir. Il faisait soixante degrés dans ma chambre. Soudain, maman et papa m'ont appelée en même temps, car lorsqu'on peut déranger Zazie doublement, il faut en profiter.

Papa, ce n'était rien de grave :

– **ZAZIE** ? Tu es là ?

– Non.

– Le ventilateur baigne dans une flaque d'eau !

– Il a de la chance. Moi aussi, j'aimerais bien me baigner.

– Il a grillé ! Et les plombs de la maison ont sauté !

– Je ne suis pas électricienne.

– Tu n'aurais pas une explication par hasard ?

J'ai failli répondre que les seules flaques d'eau qui m'intéressaient s'appelaient des piscines mais, comme papa semblait contrarié, j'ai eu pitié et j'ai gardé le silence (exceptionnellement).

Ensuite, j'ai écouté ce que maman avait à dire, et là, c'était beaucoup plus INQUIÉTANT. Il était sept heures du soir et elle m'annonçait que Roudoudou n'avait pas touché à son goûter ! Du jamais vu ! Mon Roudoudou est réglé comme une horloge, il se réveille de sa sieste toutes les quatre heures pour aller manger. Si on a le malheur d'avoir oublié sa gamelle, il miaule façon alerte incendie pour :

1) te rappeler qui est le maître dans cette maison ;

2) te recentrer sur tes devoirs de domestique ;

3) te crever un tympan en punition.

Alors s'il n'avait pas mangé ses croquettes, c'était grave. Très grave.

Je suis tout de suite allée voir ce spectacle désolant. Les pauvres croquettes attendaient tristement que Roudoudou vienne s'occuper d'elles. Abandonnées, comme moi, toutes seules au fond de leur gamelle. À cet instant, je me suis sentie croquette. Un sanglot s'est formé dans ma gorge. Inutile de dire un mot : au fond de moi, je connaissais la vérité.

Roudoudou avait disparu. C'était le début de la fin du monde.

Rien qu'en l'écrivant aujourd'hui, j'ai encore la main qui tremble... Roudoudou avait disparu ! Mon chat d'amour, ma peluche adorée, ma raison de vivre. C'était épouvantabominable ! (Je sais, ça n'existe pas, mais ça devrait.)

Mes parents ont essayé de me rassurer en prétendant que Roudoudou était juste parti faire un tour, mais je savais bien qu'il y avait un problème. Mon gros gourmand à moustaches n'a jamais sauté un repas de sa vie !

Comme j'ai insisté, papa et maman ont fini par m'accompagner dans la rue à la recherche du disparu. Il faisait tellement chaud que tous les voisins étaient dans leur jardin à siroter des boissons fraîches. Nous avons demandé partout si quelqu'un avait aperçu Roudoudou, sans aucun résultat. Ou plutôt si, ça nous a permis de voir à quel point les gens sont désagréables.

Au numéro 8 de la rue, chez M. Leroux, une grande asperge avec trois cheveux sur le crâne :

M. LEROUX

– Vous n'auriez pas vu Roudoudou ?

– Le chat obèse ?

– Il n'est pas obèse !

– Il a le ventre qui traîne par terre.

– C'est pas vrai, il faut changer vos lunettes !

– Je n'ai pas de lunettes.

– Eh bien, ça explique pourquoi vous ne voyez rien !

Mᵐᵉ CHRISTIE

Je suis partie furieuse au numéro 9, chez Mme Christie, une mamie boulotte au brushing tirant sur le violet :

– Bonjour madame, je cherche mon chat.

– Celui qui fait ses besoins dans mon jardin ?

– Non, je...

– Et qui fait ses griffes sur mon portail ?

– Mais il...

– Et qui écrabouille mes fleurs ?

– Je...

– Je ne l'ai pas vu, ton chat obèse. Heureusement pour lui.

– Il n'est pas obèse !

Et elle m'a claqué la porte au nez ! Tu te rends compte ? Pas le moindre effort pour aider une pauvre enfant qui avait perdu le seul être qui lui donnait de l'affection ! Nous sommes rentrés bredouilles. Comme mes parents ont vu que j'étais terriblement malheureuse, ils ont tout fait pour me consoler.

Je n'ai pas été obligée de finir mes légumes,  j'ai eu droit à une glace ET à une part de gâteau, j'ai pris toute la place dans le canapé sans que personne me fasse de remarque et j'ai regardé la télé jusque très tard. Plus je pleurais, plus ils étaient gentils ; j'ai donc sangloté toute la soirée.

Tant que j'y étais, j'ai même tenté l'impossible :

— Je suis trop malheureu-eu-eu-eu-se !

— Ma pauvre chérie, qu'est-ce qui te ferait plaisir ?

– Ri-en-en-en-en ! Je veux mou-rir-rir-rir-rir-rir !

– On ne peut vraiment rien faire ?

– Euh... Vous pouvez m'acheter un iPhone ?

Bon, je sais, ce n'était pas très joli de profiter de la disparition de Roudoudou pour obtenir un cadeau, mais tant qu'à souffrir, autant que ça serve à quelque chose, non ? De toute manière, mon plan n'a pas marché. Quand j'ai prononcé « iPhone », mon père s'est s'exclamé « Je crois que j'ai entendu un miaulement ! » et il a filé ouvrir la porte. Évidemment, il n'y avait personne derrière. C'était un miaulement fantôme... Je suis obligée d'admettre que papa est très fort. On est rusés de père en fille dans la famille.

Avant de me coucher, j'ai envoyé des mails aux copines pour leur raconter mon MALHEUR. J'avais besoin de soutien, je comptais sur elles, mais je ne sais pas si j'avais raison...

De < juliebeautefatale@gmail.com > à < zazie.lol@free.fr >

Ma Zazoune,

"SUPER" triste pour toi ! **"SUPER"** flippant de savoir que Roudoudou est dehors tout seul avec tous les **"SUPER"** dangers de la nuit ! Si j'étais à ta place, je serais **"SUPER"** morte d'inquiétude !

De < zazie.lol@free.fr > à < juliebeautefatale@gmail.com >

Chère Julie,

Merci beaucoup pour ta réponse qui me remonte bien le moral. Juste une chose : peux-tu arrêter de dire "super " tout le temps ? Merci.

De < juliebeautefatale@gmail.com > à < zazie.lol@free.fr >

Désolée, ma Zazoune. Tu as raison, c'est **"HYPER"** énervant de répéter "super". Je vais faire **"HYPER"** attention.

Merci beaucoup, Julie. Fais-moi penser à ne plus t'écrire. Jamais.

Kenza aussi m'a répondu très vite. À sa façon...

De < queen.kenza@yahoo.com > à < zazie.lol@free.fr >

tro dur, zazoune!!! pov roudoudou miaou d'amour! jSpR ktu né pas tro kC nivo moral! kiss kiss kiss ☺☺☺ ★

Je suis fière de ma réponse pleine de poésie à Kenza : Qdfuaeràqfjliqku) ☺ efqsoezdf sdfou qsdfou aaejçod azoeihd ☺ oaze ooo duaohd ☺ ★

J'espère que le message a été assez clair !

Finalement, c'est Anaïs qui s'est le plus appliquée pour me répondre, même si on peut s'interroger sur le but recherché :

De < anais.star@gmail.com > à < zazie.lol@free.fr >

Ma pauvre Zazie, quelle nouvelle affreuse ! Quand j'imagine tout ce qui peut arriver à Roudoudou, j'ai des frissons. Tu as entendu parler de ces scientifiques qui volent des chats pour

faire des expériences avant de les découper en morceaux ? Et ce n'est rien à côté des gens qui les kidnappent pour les manger ! C'est abominable, mais tu ne dois surtout pas penser à ce genre de choses. Il faut rester positive.

MERCI les copines... J'ai passé la nuit l'estomac noué à guetter les bruits de la maison en espérant voir Roudoudou ressurgir. Pas un poil n'est réapparu ! Pas l'ombre d'un bourrelet de mon gros chat moelleux ! Pas la moindre trace de ses adorables coussinets râpeux !

Comme j'étais morte d'inquiétude et que je n'arrivais pas à dormir, je suis allée trouver du réconfort chez mes amis les plus fidèles, ceux qui ne font pas de randonnées avec leurs grands-parents, ni de messages en langage SMS : les livres. Malgré la chaleur, j'ai construit ma grotte protectrice sur mon lit avec mes coussins et mon drap, j'ai sorti ma lampe de poche et je me suis plongée dans le monde réconfortant des histoires.

Bien entendu, je n'ai pas choisi mon livre au hasard. Roudoudou avait DISPARU, il me fallait trouver la bonne façon de réagir. Et quoi de mieux que d'aller voir du côté du plus grand détective que la terre ait jamais porté ? Tu vois de qui je parle, cher .... ? Non ? Voici quelques indices.

Je suis... un détective anglais qui habite à Londres à la fin du XIXe siècle. Je mène des enquêtes grâce à mon intelligence brillante

assez proche de celle d'une cer-
taine Zazie vivant en France au
début du XXIe siècle (O.K., j'arrête). On me représente toujours
avec une casquette bizarre sur la
tête en train de m'intoxiquer à fumer la pipe.

Je suis accompagné dans mes aventures par
mon fidèle ami le docteur Watson, qui ne
comprend jamais rien à ce qui se passe, un peu
comme le cousin Lucas de l'adorable Zazie qui
vit en France au début du... (O.K., j'arrête pour
de bon).

Je suis ? Je suis ?

☐ Tarzan
☐ Blanche-neige
☐ Sherlock Holmes

Bravo et applaudissement des deux
mains si tu as trouvé, dès le premier
indice, qu'il s'agissait de... Sherlock
Holmes ! Applaudissement d'une

seule main (pas facile) si tu as trouvé au dernier indice. Par contre, si tu as coché Tarzan, il va falloir te mettre à lire un peu ! **OUI**, c'est déjà bien de lire mon roman. Oui, c'est un livre

☐ génial
☐ bon
☐ bof
☐ beurk

Oui, tu te régales. Mais ça ne suffit pas ! Enfin, si tu as coché Blanche-Neige, je suis désolée mais je ne peux rien faire pour toi...

J'ai donc passé une partie de la nuit à lire *Le Chien des Baskerville*, une histoire terrifiante de chien monstrueux qui attaque des promeneurs dans la lande anglaise (*j'adore*). Je voulais voir comment Sherlock s'y prenait pour mener une enquête.

Sa méthode tient en deux mots (ou presque, on ne va pas chipoter) : sens de l'observation et raisonnement logique. La **SOLUTION** réside dans les détails auxquels personne ne fait attention, sauf Sherlock. Pourquoi ? Parce qu'il reste toujours calme, réfléchi et imperturbable. Voici les qualités d'un grand détective.

Je me suis endormie réconfortée. J'allais pouvoir mener l'enquête et retrouver Roudoudou.

Calme, réfléchie et imperturbable : c'était mon portrait tout craché.

NON ?

Le lendemain, au petit déjeuner, nous avons fait le point avec mes parents. Personne n'avait vu Roudoudou depuis la veille, à midi, quand il mastiquait sa pâtée si bruyamment qu'on ne s'entendait plus à table. Après, fidèle à ses habitudes, il avait lapé son lait demi-écrémé bio, puis, dès que la cuisine avait été inondée, il était reparti faire sa sieste. La routine, quoi. Sauf qu'il n'était pas allé ronfler sur le linge propre à repasser, ni sur le clavier de l'ordinateur, ni dans les rouleaux de papier toilette. Nulle part ! Évaporé , Roudoudou !

Le plus inquiétant, c'est qu'il n'était pas rentré de la nuit. Or il faut savoir que Roudoudou a peur du noir. Il paraît que les chats sont nyctalopes, c'est-à-dire qu'ils voient dans le noir, mais pas Roudoudou. On lui laisse même une veilleuse la nuit, comme pour les bébés.

La seule fois où il s'est retrouvé dehors le soir, il a miaulé si fort devant la porte que les voisins ont téléphoné pour demander si on avait besoin d'aide. Quand on lui a ouvert, il avait déjà commencé à creuser une chatière dans la porte avec ses griffes ! Tu aurais vu le trou... J'ai mis une heure à le calmer.

Kenza et Julie, qui faisaient une soirée pyjama à la maison, étaient effrayées. Roudoudou soufflait en montrant les crocs comme quand on se trompe de gamelle pour ses repas (la rouge pour les croquettes, la bleue pour les boulettes).

– C'est normal qu'il bave comme ça ? a fait Kenza, dégoûtée.

– On se croirait dans un film *gore*, a grimacé Julie.

Sympa, les filles. Elles faisaient passer Roudoudou pour un monstre. Le chat des Baskerville !

– C'est fini, oui ? Qui peut tenir Roudoudou pendant que je vais chercher des croquettes pour le calmer ?

– Kenza, a proposé Julie.

– Julie, a répliqué Kenza.

– Merci, c'est agréable de se sentir soutenue !

– C'est normal toute cette bave ? a insisté Kenza.

– En plus, elle est verte ! a ajouté Julie.

J'ai dû me débrouiller seule, comme d'habitude... Tout ça pour dire que *Mon chat d'amour* ne pouvait pas avoir passé la nuit dehors volontairement. Il ne pouvait pas non plus nous avoir abandonnés : on lui remplissait sa gamelle toutes les quatre heures, on le brossait tous les jours, on le caressait à la demande. Où pouvait-il trouver de meilleurs esclaves ?

Le principe de base du raisonnement de Sherlock Holmes, c'est d'envisager toutes les hypothèses, puis de les éliminer une par une. Celle qui reste, même si elle paraît invraisemblable, est forcément la bonne. À ce stade de l'enquête, je ne voyais que deux possibilités : soit Roudoudou avait eu un accident, soit il avait été kidnappé. J'ai commencé à paniquer en pensant au pire, mais Sherlock Holmes m'a aidée à retrouver mon SANG-FROID ❄. Ne jamais se laisser dominer par ses émotions, c'est la première leçon du plus grand des détectives.

Chaque minute comptait. Il fallait lancer l'opération sauvetage.

Première étape : fabriquer un avis de recherche et le coller partout dans le quartier.

À situation d'urgence, autorisation exceptionnelle : pour faire mon affiche, j'ai eu le droit d'utiliser l'ordinateur de mes parents. D'habitude, ils refusent que j'y touche pour une vieille histoire de glace au chocolat que j'aurais fait tomber sur le clavier. Un pur mensonge ! J'ai eu beau leur dire que ce n'était pas vrai, ils n'ont jamais voulu en démordre ! Pourtant, je sais bien, moi, que c'était une glace à la vanille.

Après avoir vérifié que je n'avais rien à manger ni dans les mains, ni dans les poches, mes parents m'ont laissé l'ordinateur. D'abord, il me fallait sélectionner un portrait *trop mignon* de Roudoudou pour donner envie aux gens de le retrouver. Je me suis plongée dans le dossier « photos » et j'en ai profité pour tout réorganiser parce que c'était encore plus mal rangé que la chambre d'Anaïs. J'ai créé un dossier « Zazie top model » où j'ai placé mes plus beaux portraits et j'ai effacé toutes les photos sur lesquelles je n'avais pas bonne mine.

J'ai aussi mis à la corbeille le film de l'anniversaire des soixante ans de papi : le coiffeur avait raté ma coupe. Quant aux photos sur lesquelles on voit Anaïs la traîtresse, je n'ai pas hésité une seconde à m'en débarras-ser. Bref, un peu de ménage pour rendre service à mes parents qui n'ont pas le temps de trier leurs photos. Oui, j'aime faire le bien autour de moi.

J'ai fini par trouver un *adorable* portrait de Roudoudou, pris la fois où il avait ramené un rat à la maison. J'ai hésité avec la photo du jour où il avait mangé le poulet que maman avait préparé pour recevoir des amis, mais il était tellement craquant avec la queue du rat qui dépasse de sa bouche... Qu'est-ce qu'il était content d'avoir réussi à couper sa proie en deux !

Deuxième étape pour mon affiche : le texte. Là, mes talents d'écrivain m'ont bien aidée. Il fallait choisir les mots avec soin pour attendrir le lecteur.

Petite fille anéantie par la **tristesse** *cherche son Roudoudou d'amour disparu sans laisser de traces.*

Par **pitié**, aidez-nous à le retrouver avant qu'une enfant innocente ne meure de **chagrin**. Chaque seconde compte. Alors on se dépêche, bande de fainéants ! (Forte récompense.)

STYLÉ, non ? Pour la forte récompense, je pensais à la poupée que j'avais eue pour mes quatre ans. Roudoudou lui a mâchouillé la tête et arraché un bras, c'est un collector.

L'affiche était superbe, j'étais fière de moi. J'ai ajouté notre nom et notre numéro de téléphone, et je l'ai imprimée à cent exemplaires en couleurs haute définition. J'aurais bien voulu cent affiches de plus, malheureusement j'avais épuisé les cartouches d'encre de la maison. On fait ce qu'on peut quand on a des parents pas assez prévoyants avec le matériel.

Avant d'éteindre l'ordinateur, j'ai changé le fond d'écran. Il y avait une photo ridicule de mes parents jeunes (trop bizarre) en train de se faire un bisou sur la bouche (trop beurk).

Je l'ai remplacée par celle d'une piscine (trop beau). J'ai aussi changé les couleurs du bureau en mettant tout en bleu clair. Enfin, je suis allée sur quelques sites de vendeurs de piscines et j'ai laissé les adresses mail de mes parents dans la rubrique « Demande d'informations ». Je me suis arrêtée là, car il faut savoir faire passer les messages avec discrétion.

J'avais mes affiches, il me fallait de la colle. Comme il ne restait qu'un fond de pot de colle à tapisserie dans le garage, j'ai ajouté quelques

produits de jardinage dedans pour avoir une quantité suffisante. Ça a fait beaucoup de fumée, le pot a commencé à fondre, mais ça collait bien.

J'ai passé le reste de la matinée à afficher mes avis de recherche partout dans le quartier et, encore une fois, les voisins n'ont pas été sympas. Quand j'ai demandé à un monsieur si je pouvais en coller un sur sa voiture, il m'a répondu « Même pas en rêve » ! INCROYABLE, non ? Heureusement, j'ai trouvé la solution pour les autres voisins : je ne leur ai pas demandé leur avis.

Il y avait donc des affiches partout, et elles se voyaient : en moins de vingt minutes, nous avons reçu trois coups de téléphone. Deux pour se plaindre que j'aurais effrayé des enfants avec mes « affiches de film d'**horreur** » et un autre pour râler parce que ma colle était si forte qu'elle aurait fait un trou dans un lampadaire. Bref, n'importe quoi.

Papa a téléphoné à la Société Protectrice des Animaux, à la fourrière municipale et à tous les vétérinaires de la région. Personne n'avait vu mon **chat**.

Il a aussi posté un avis de recherche sur Facebook, mais comme il n'a que quatre amis, ça ne faisait pas beaucoup de partages. C'est bien ma chance d'avoir des parents allergiques aux réseaux sociaux !

J'ai proposé de contacter la police, les pompiers, l'armée, les services secrets et le FBI ; papa a dit qu'on allait attendre un peu avant de lancer une alerte internationale. Pourquoi ? La vie de Roudoudou était en jeu !

Les appels téléphoniques absurdes ont continué. Une voyante a prétendu avoir rêvé de Roudoudou.

D'après elle, il était parti en cure pour perdre du poids ! Papa a conseillé à la voyante de partir en cure pour perdre sa **bêtise**. Parfois, je suis fière de mon papounet.

Le directeur d'une animalerie a même osé nous annoncer qu'il avait en magasin des chats ressemblant à Roudoudou et qu'on pouvait venir en acheter un.

Quel **MONSTRE** sans cœur ! Comme si on pouvait remplacer Roudoudou... Celui-là, il ne perd rien pour attendre. Il occupe la première place sur la liste des gens dont je me vengerai dès que j'aurai le temps.

Le dernier coup de fil de la matinée a fait renaître l'espoir : un vendeur de piscines ! Sauf que maman a répondu que c'était une erreur et qu'elle n'avait jamais demandé d'informations sur les piscines... Le monsieur a insisté, maman lui a raccroché au nez. Encore **RATÉ**.

À midi, nous étions toujours sans nouvelles du plus merveilleux félin qui ait jamais caressé la terre de ses adorables coussinets. L'angoisse a recommencé à me nouer l'estomac. Je devais réagir, ne pas me laisser accabler par la peur. Après l'enquête de voisinage et les affiches, l'heure était venue de passer à la **PHASE ③** de mon plan : l'opération Sherlock Holmes. Pas de temps à perdre à attendre que quelqu'un nous appelle. J'allais mettre ma casquette de détective, sortir ma loupe et partir à la chasse aux indices.

C'est alors qu'on a sonné à la porte.

⋛DING DONG⋛

Et que ma vie a basculé dans l'**HORREUR** pure.

Quand on a sonné à la porte, j'étais dans ma chambre à préparer un plan pour retrouver Roudoudou en feuilletant *La Disparition de Lady Frances Carfax*, une aventure de Sherlock Holmes. Maman est allée ouvrir, puis je l'ai entendue m'appeler. Comme je me concentrais pour entrer dans la peau de Sherlock, je n'ai pas répondu. Pardon d'avoir une vie !

– Zazie, ne fais pas semblant de ne pas m'entendre ! a crié ma mère qui voit à travers les murs.

Pour lui montrer que j'étais impressionnée, j'ai pris la peine de lui répondre gentiment :

– *PFFF!* Qu'est-ce qu'il y a encore ?

– C'est quelqu'un pour toi.

Pour moi ? Toutes mes copines étaient parties. Qui pouvait bien me rendre visite ?

– Qui ça ?

– C'est un **garçon**, a lancé maman en mettant, je l'aurais juré, un sous-entendu dans sa voix comme quand elle me demande si j'ai un amoureux à l'école (je déteste).

– Comment ça, un garçon ?

– Un enfant de sexe masculin, a-t-elle précisé en tentant de faire de l'humour.

– Si c'est mon cousin Lucas, dis-lui que je suis malade.

– Ce n'est pas Lucas...

– C'est qui alors ?

– Tu viens ou il faut que je t'envoie un mail ? s'est agacée ma mère.

– Pffffffffffffffffffffffffffffff !!!

Rien ne pouvait me préparer au choc qui m'attendait dans l'entrée. Devant la porte, près

de ma mère, il y avait bien un garçon. Un grand maigre à lunettes. La dernière personne au monde que j'avais envie de voir chez moi, ou ailleurs. Gaëtan, dit « L'INTELLO ». Qu'est-ce qu'il faisait là ?

La honte intersidérale ! Gaëtan dans ma maison : une information qui devait rester plus secrète que le code de la bombe atomique... Si quelqu'un apprenait ça à l'école, j'allais être obligée de déménager à l'autre bout de la France.

Gaëtan me regardait sans rien dire, tout raide dans sa chemise à rayures (**argh**), son bermuda beige (**pitié**) et ses sandales qui laissaient voir ses gros orteils (je veux être **aveugle**).

Pour que tu comprennes l'ampleur de l'abomination, *cher* ...., il faut que tu saches qui est Gaëtan. Il est arrivé dans ma classe au troisième trimestre, et il lui a suffi de deux jours pour se faire une réputation.

Tout le monde à l'école l'appelle « l'intello », ou « l'extraterrestre », ou encore « le savant fou ». Que des surnoms sympas.

Gaëtan est tout de suite devenu le meilleur élève de la classe. Mais ce qui l'a rendu définitivement étrange pour tout le monde, c'est son vocabulaire. Quand quelque chose l'énerve, au lieu de dire « Je suis dégoûté » ou « Ça me saoule », Gaëtan déclare « Voilà qui est fâcheux » ou « Cela m'irrite fortement ». C'est sûr, il y a un léger décalage avec Kévin qui possède trois mots et demi en stock !

En classe, Gaëtan se tient toujours prêt à répondre aux questions de Mme Cuche, notre maîtresse bientôt retraitée, que tout le monde aime car elle est un peu sourde et n'entend pas nos bavardages. Comme un coureur qui sautille derrière la ligne de départ, Gaëtan frétille sur sa chaise, puis il dégaine son doigt avec tant d'énergie qu'on dirait qu'il va se déboîter l'épaule. Parfois, on a l'impression que Gaëtan vit avec le doigt levé, au cas où une question serait posée.

Mme Cuche

65

Et quand Mme Cuche, qui a un rythme d'escargot vu son grand âge, ne l'interroge pas assez vite, c'est lui qui l'interpelle.

– Madame, madame, j'ai la certitude d'avoir une réponse des plus satisfaisantes !

La pauvre Mme Cuche, qui est très usée comme maîtresse, a vécu le pire trimestre de sa carrière à cause de lui.

Pour résumer, Gaëtan est **PÉNIBLE** et personne ne lui parle. C'est pour ça qu'en le voyant débarquer chez moi, j'ai senti qu'une **CATASTROPHE** allait ravager ma vie.

– Bonjour, Zazie. Je suis venu t'aider à retrouver ton lapin géant, a fait Gaëtan en brandissant l'avis de recherche de Roudoudou.

Un lapin ! Il n'allait pas bien, lui ?

– C'est pas un lapin !

Gaëtan a regardé la photo sur l'affiche en fronçant les sourcils.

– Un gros yorkshire ?

– C'est un chat !

– Tu me joues un tour ? Il s'agit de ce que vous appelez « l'humour », c'est ça ?

Ah oui, il faut que tu saches que si Gaëtan est très intelligent, il n'a aucun sens de l'humour. Un jour, Julie a raconté la blague de la mère d'élève qui demande à l'instituteur :

– Pourquoi mon fils n'a-t-il que des zéros ?

– Parce qu'il n'existe pas de note plus basse, répond le maître.

Eh bien, non seulement Gaëtan n'a pas ri mais il a répliqué :

– Cet enseignant est un mauvais pédagogue. Il devrait valoriser les qualités de son élève au lieu d'appuyer sur ses lacunes.

Qu'est-ce que tu veux répondre à ça ? Alors quand un énergumène pareil vient dans ta maison humilier ton adorable matou, il est difficile de garder son sang-froid !

– C'est un **ch🐱t**, je te dis. C'est mon Roudoudou ! Si tu lui manques encore une fois de respect, je te mets dehors.

– Si tu m'expulses, je ne pourrai pas te prêter main-forte dans la quête de ton... animal de compagnie.

– Oui, mais ça me soulagera.

– Tu ne seras pas soulagée si cette... bête reste introuvable.

– C'est pas faux...

– Il faut que tu saches que j'ai toujours raison. Inutile de perdre du temps à essayer de prouver le contraire.

J'ai pris une profonde inspiration pour tenter de rester
calme. Je sentais bouillir en
moi un mélange de graines de
colère dans un jus de rage que
je n'allais pas tarder à déverser sur l'insuppor-
table Gaëtan. J'étais bien décidée à le réduire en
poussière, quand il a lâché une phrase qui m'a
fait perdre les pédales.

— Dis-moi, Zazie, connais-tu Sherlock
Holmes ?

Sherlock Holmes ? Une seconde avant, je me
préparais à mettre Gaëtan dehors, et là, d'un
coup, il a réussi à titiller mon intérêt.

— Que sais-tu sur Sherlock Holmes ? ai-je
demandé, méfiante.

— Je sais **TOUT** sur lui.

— Tu es toujours aussi *modeste* ?

— Ce n'est pas se vanter que de dire la vérité.
Sherlock avait le même problème que moi :

on le trouvait immodeste alors qu'il était simplement **GÉNIAL**.

– De mieux en mieux ! Tu te prends pour un génie ?

– Je **SUIS** un génie. Je n'y suis pour rien, je suis né comme ça.

– Dans ce cas, dis-moi qui est le créateur de Sherlock Holmes.

– Voilà qui est simplissime. Il s'agit d'Arthur Conan Doyle. Un Anglais qui a publié en 1887 un roman intitulé *Une étude en rouge*, première apparition du célèbre détective anglais.

(A. CONAN DOYLE)

– Et comment s'appelle le meilleur ami de **Sherlock** qui l'accompagne dans toutes ses aventures ?

– Le docteur **Watson**. Il est médecin et il a été blessé à la guerre.

70

– Combien existe-t-il d'aventures de Sherlock Holmes ?

– **60**. Elles sont réparties en **56** nouvelles et **4** romans. Tu vas me poser longtemps des questions aussi faciles ? Ton soi-disant chat nous attend.

– Et comment Monsieur-le-Génie compte-t-il le retrouver ?

– En appliquant la méthode de Sherlock Holmes. Observation, réflexion, déduction.

– C'est exactement ce que j'allais faire.

– Parfait. Unissons nos forces. Un Holmes a toujours besoin d'un Watson.

L'intello me proposait de l'aide ? C'était la honte de passer du temps avec lui, mais j'étais prête à tout pour Roudoudou.

– Merci, Gaëtan. Je retire ce que j'ai dit : tu es plus modeste que je croyais. Un vrai prétentieux n'accepterait jamais de tenir le rôle de Watson.

– Chère Zazie, il y a un malentendu. **JE** suis Sherlock Holmes. Watson, ce sera **TOI**.

– Quoi ? Il n'en est pas question !

– Seul « un vrai prétentieux n'accepterait jamais de tenir le rôle de Watson ».

– N'importe quoi. Qui a pu dire un truc pareil ?

– Toi. Il y a deux secondes.

– Je n'ai jamais dit ça.

– Donc, prétentieuse **ET** menteuse.

– Tu viens m'insulter chez moi ! Puisque c'est comme ça, je me passerai de ton aide !

J'allais pousser Gaëtan dehors quand maman est venue mettre son grain de sel.

– Ça va, les enfants ? On s'amuse bien ? Vous voulez boire quelque chose ?

Lui donner à boire ? Il ne manquait plus que ça ! On n'avait qu'à inviter Gaëtan à passer les vacances avec nous tant qu'on y était ! J'allais répondre que je n'avais jamais eu si peu soif de ma vie quand on a sonné à la porte.

DING DONG

Décidément, on ne pouvait pas être tranquilles dans cette maison. Une vraie cour de récré.

Maman a ouvert. C'était le facteur qui venait lui remettre un courrier en recommandé. Un homme désagréable qui remplaçait notre facteur en vacances. Toujours habillé du même tee-shirt taché à manches courtes, il disait à peine bonjour et passait son temps à grommeler. Maman a signé le recommandé, le type est parti.

— Bon, Gaëtan, merci d'être passé. Je ne te retiens pas, j'ai un chat à trouver.

— Tu as vu ?

— Pardon ?

— Tu as vu le facteur ?

Qu'est-ce qu'il racontait ? Il était encore plus dérangé que je croyais.

– Évidemment que je l'ai vu ! Scoop du jour : j'ai des yeux.

– Crois-tu que ton chat se sera défendu contre son kidnappeur ?

– Bien sûr ! Celui qui l'a enlevé a dû passer un mauvais quart d'heure.

– Dans ce cas, hâtons-nous de suivre le facteur, a lancé Gaëtan en ouvrant la porte.

– Pourquoi ?

– Tu n'as pas remarqué ses bras ? Ils étaient tout griffés. Des griffures récentes.

– Quoi ? Tu veux dire que le facteur aurait...

– Dépêchons-nous. Ta lenteur d'esprit nous fait perdre un temps précieux.

– *Gnagnagna* ! Ça va, inutile d'être désagréable. J'avais remarqué ses bras.

– Le mensonge est une ligne rouge que tu ne devrais pas franchir si souvent.

– Gnagnagna, *Gnagnagna* !

– Quant à la susceptibilité, elle n'est qu'un frein à l'action. Tu viens, Watson ?

Watson ? J'ai senti la colère monter comme le liquide rouge dans le thermomètre. Je me demandais ce qui m'énervait le plus chez **Gaëtan**. La réponse était : Gaëtan en entier. Le problème, c'est qu'on n'avait pas le temps de se disputer. J'ai fait un énorme effort pour contenir la pression et je n'ai pas répondu à **INSUPPORTABLE-MAN**.

Nous avions un **SUSPECT**. C'était l'heure de passer à l'attaque.

Un pour tous, tous pour Roudoudou !

Le facteur était planté devant le portail d'un voisin. Je me suis mise en mode discrétion : mains dans les poches, regard vers l'horizon, petit sifflotement. Gaëtan me suivait.

– Sois 🌸 naturelle, Zazie, tu vas nous faire repérer.

– Je suis naturelle !

– Tu marches souvent en sifflotant, les mains dans les poches et les yeux vers le ciel ?

– Tu as déjà participé au concours du garçon le plus désagréable de l'année ?

– Non, pourquoi ? Ah, il s'agit encore d'« HUMOUR », c'est ça ? Tu pourrais avertir quand tu en fais, s'il te plaît ?

Je pensais avertir Gaëtan que j'allais lui mettre une claque quand des aboiements nous ont rappelés à l'ordre. Le suspect allait nous échapper. L'affreux facteur se tenait devant une boîte aux lettres gardée par un bouledogue aux babines baveuses qui aboyait derrière un grillage. Le facteur a lâché « Tais-toi, sale bête ! », puis il a enfourché son vélo pour reprendre sa tournée.

– Il faut le suivre, a lancé Gaëtan. Tous les faits le désignent comme COUPABLE. Premièrement, en tant que facteur qui passe chez toi chaque jour, il connaît l'existence de Roudoudou. Deuxièmement, ses bras affichent de multiples griffures. Troisièmement, il n'aime pas les animaux, comme tu as pu le constater à l'instant avec ce chien.

– Quatrièmement, il a une tête antipathique ! On voit qu'il a l'habitude de faire des mauvais coups.

– Ce que tu dis n'a rien de logique, mon cher Watson. Certains criminels ont un visage d'ange et des gens adorables peuvent être très laids. Sherlock Holmes n'aurait pas retenu ta remarque. Je pense même qu'il t'aurait fait une remarque ACERBE.

– Euh...

– Une remarque acerbe signifie une réflexion blessante.

– Ça va, je sais ce que ça veut dire... (Et si tu me traites de menteuse, je te mords !)

– Parfait. Dans ce cas, faisons preuve de diligence.

« Faisons preuve de diligence » ? Allô, SOS dictionnaire ?

– Je veux dire qu'on doit se dépêcher de le suivre. Une fois arrivés chez lui, on trouvera un prétexte pour entrer. Pendant que tu le distrairas, j'irai fouiller sa demeure.

Il me donnait des **ORDRES**, maintenant ! Ça bouillonnait dans ma tête. La destruction totale de la chose nommée Gaëtan venait d'être programmée. Cependant, une petite voix me susurrait que l'intello avait raison, même si ça me faisait mal aux dents. Il avait appliqué les préceptes de Sherlock Holmes, il avait repéré des indices, il les avait mis en relation et il en avait tiré une déduction logique. Tout ça en un temps record. Bien plus vite que ce que j'aurais été capable de faire...

– Zazie, le temps n'est pas à la rêvasserie. As-tu lu *La cycliste solitaire*, une excellente enquête de notre cher détective ?

À cet instant, j'ai compris que cette journée **ÉPOUVANTABLE** allait tourner au plus **ATROCE** des cauchemars. Mon chat avait disparu, je faisais équipe avec l'intello de la classe, j'avais endossé le rôle de Watson et voilà que Gaëtan s'apprêtait à prononcer le mot détesté. Le mot tabou. **LE MOT** maudit !

– Va chercher ton **VÉLO** ! a-t-il lancé en récupérant le sien qu'il avait laissé sur la pelouse.

Mon... Mon vé... Mon vélo ? Noooooooooooo-ooooooooooooooooon !!! **Cher** ...., il faut que tu saches que le vélo et moi sommes fâchés à mort (surtout moi). Je pense que le vélo est la pire invention de l'histoire de l'humanité. Tant que cette machine infernale existera, il ne pourra pas y avoir de véritable bonheur sur la Terre.

– Accélérons le mouvement, on ne doit pas perdre la trace du facteur.

Quelques minutes plus tard, j'atteignais le sommet du grotesque. Coiffée d'un casque rose Barbie trop petit, assise sur une selle dure comme de la pierre, j'étais l'incarnation du ridicule. Impossible de faire pire. En tout cas, c'est ce que je croyais... Connais-tu la règle n° 1 du RIDICULE ? C'est qu'il y a toujours PIRE que le pire. Ma mère a tenu à le prouver en intervenant à ce moment-là.

– Tu vas faire du vélo ? Incroyable ! Gaëtan, tu es un magicien. Arriver à faire pédaler Zazie, chapeau ! Elle doit beaucoup t'apprécier.

Et là, elle a fait un clin d'œil. Tu le crois ? Un clin d'œil ! Traduction française : « Gaëtan et Zazie amoureux pour la vie »... Double Argh !

Gaëtan est parti en trombe sur son VTT de compétition. Une superbe machine sur laquelle il pédalait sans casque.

À côté, j'avais l'air d'un gros marsh-mallow rose monté sur roulettes. Ma mère est rentrée dans la maison en criant « Attendez, je vais prendre une photo ! ». Il y avait urgence, je me suis élancée à la suite de Gaëtan. **TROP TARD**, maman !

Début de la filature. Gaëtan menait la course. De mon côté, je pédalais tant bien que mal en grommelant que Sherlock Holmes ne faisait jamais de vélo.

– **FAUX**, est intervenu Gaëtan qui a l'ouïe fine. Sherlock suit un suspect à bicyclette dans la nouvelle *Le Trois-quarts disparu*.

– Gnagnagna ! ai-je brillamment rétorqué.

Comme le facteur s'arrêtait devant chaque maison, il ne risquait pas de nous semer. Ça m'arrangeait bien parce que je mettais pied à terre tous les deux mètres pour retrouver mon équilibre. Ce **STUPIDE** deux-roues m'empê-chait de me concentrer sur l'enquête.

J'aurais voulu me glisser dans la peau de Sherlock Holmes, parcourir les rues de mon lotissement comme lui arpente la lande brumeuse dans *Le Chien des Baskerville*, avec une concentration sans faille et une attention au moindre détail. Mais c'était impossible en pédalant ! Sherlock ne se demandait pas à chaque instant s'il allait finir étalé par terre en quatre ou cinq morceaux.

J'essayais malgré tout d'observer les gestes du kidnappeur de chat. Il allait d'une maison à l'autre sans jamais se retourner vers nous, trop occupé à râler contre les boîtes aux lettres. Ici parce que l'ouverture était trop étroite, là parce que la couleur lui semblait ridicule, tout était bon pour grogner. Le profil parfait de la brute épaisse.

La peur a recommencé à me grignoter le cerveau. J'imaginais le désespoir que devait ressentir mon Roudoudou, seul aux mains d'un tortionnaire, lui dont les journées se résumaient d'habitude à des siestes, des caresses et des repas copieux...

Qu'est-ce que ce monstre lui avait fait subir ? Où se trouvait mon chat d'amour ? Est-ce qu'il était seulement encore viv... Un trou dans la chaussée a heureusement évacué de ma tête l'horrible idée qui commençait à y germer. Le temps de donner un coup de guidon réflexe pour éviter la chute, et mon esprit a repris le dessus. Je devais m'inspirer de la force mentale de Sherlock et ne plus penser qu'à ma cible.

Malheureusement, tout cela était inutile.

Au bout de la rue, l'odieux facteur a jeté une lettre dans une boîte enfouie au milieu d'un rosier touffu,

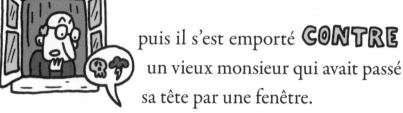

puis il s'est emporté **CONTRE** un vieux monsieur qui avait passé sa tête par une fenêtre.

– Je me suis encore griffé avec votre rosier ! J'ai les bras tout abîmés à cause de vous ! Je vous avertis : si demain il n'est pas taillé, je laisserai votre courrier sur le trottoir.

Enfin, l'affreux bonhomme est remonté sur son vélo en pestant contre les rosiers, contre les boîtes aux lettres, contre les vieux et contre l'Univers en général.

Gaëtan et moi nous nous sommes regardés. Nous n'avions pas besoin de nous parler. Continuer notre filature n'avait plus de sens.

Les marques sur les bras du facteur n'avaient aucun rapport avec mon Roudoudou. L'affreux bonhomme avait été griffé par un **ROSIER**... J'étais soulagée de penser que mon chat n'était pas entre les mains d'un être aussi abominable, mais tout était à recommencer. Le **MYSTÈRE** restait entier.

– Il nous faut envisager une nouvelle hypothèse, a lancé Gaëtan sans la moindre émotion.

Moi, je me suis sentie tellement triste. Un sanglot est monté le long de ma gorge nouée. Où était mon Roudoudou ?

– Se laisser aller au chagrin ne sert à rien, Zazie.

– C'est facile à dire, ce n'est pas ton chat qui a été kidnappé.

– D'après Sherlock Holmes, les émotions handicapent les enquêtes.

– Je sais, mais mon chat est en danger de mort ! Merci pour ta compassion...

– Il faut garder l'esprit calme et poursuivre notre réflexion.

Inutile d'attendre de la compréhension de Gaëtan. J'étais à deux doigts de me mettre à pleurer. Les larmes se bousculaient dans les tuyaux vers mes yeux. C'était parti pour les grandes eaux, le geyser, l'inondation.

C'est alors que je les ai vues. Sur le trottoir d'en face. Ça m'a coupé l'envie de pleurer d'un coup. Mes larmes ont enclenché le freinage d'urgence. À la place, j'ai eu envie de CRIER.

Elles avançaient côte à côte, main dans la main, en rigolant.

Les Charmille. Charlotte et Camille. Les jumelles. Mes pires ennemies.

ma plus grosse crainte se réalisait. Si les jumelles étaient encore trop loin pour pouvoir me reconnaître sous mon casque monstrueux, ce n'était plus qu'une question de secondes. Les Charmille allaient me voir en train de faire du vélo avec l'intello de la classe !

Avais-je le temps de creuser un trou pour m'enterrer ? Devais-je sauter dans un rosier et me défigurer avec ses épines pour ne pas être reconnue ? Mon cerveau s'était déconnecté, plus aucune idée n'arrivait à naître.

Alors ce sont mes pieds qui ont pris les commandes. Ils ont appuyé sur les pédales avec toute la force dont ils étaient capables. Ils étaient décidés à fuir, et vite.

En tout cas, c'était leur projet.

Il faut bien l'avouer : des pieds, ça réfléchit beaucoup moins bien qu'un cerveau. Les miens avaient de la bonne volonté, sauf qu'ils étaient plus habitués à danser qu'à appuyer sur des pédales. Au deuxième tour de pédalier, mon pied droit a dérapé. Mon pied gauche a essayé de compenser en appuyant plus fort, avant d'imiter son copain et de déraper à son tour.

Pour ne rien arranger, mes yeux se sont fermés, mes mains se sont levées, ma bouche a couiné, c'était le grand n'importe quoi.

Évidemment, ce traître de vélo a profité de la situation. Il voulait se venger des années où je l'avais laissé moisir au garage. J'étais prête à lui  demander pardon, mais c'était trop tard. Dans un grand bruit de ferraille raclant le bitume, il s'est couché sur la chaussée. De mon côté, j'ai râpé sur le goudron mes coudes, mes genoux et tout ce qui dépassait, et j'ai fini ma démonstration par un bisou à une plaque d'égout.

– Bravo Zazie, très *zoli* ! s'est exclamée la perfide Camille en profitant de la situation pour imiter mon zozotement.

– *Ze* crois qu'elle s'est fait mal au *zenou*, a ajouté la sournoise Charlotte.

– Penses-tu ! C'était une cascade de professionnelle.

– Tu nous entends, Zazie ?

J'ai prié pour qu'arrive tout de suite la fin du monde, du genre une chute de météorite ou une explosion nucléaire, mais rien ne venait. J'allais devoir ouvrir les yeux et regarder les Charmille en face. C'est alors que j'ai senti une main sur mon épaule.

– Zazie ? Si tu estimes qu'un de tes membres a subi une fracture, hoche la tête une fois.

Du français du Moyen Âge : c'était Gaëtan qui venait à mon secours.

– Zazie a bien de la chance d'avoir un chevalier servant, a persiflé Charlotte.

– Oh oui, surtout Gaëtan. Si on nous avait dit qu'elle passait ses vacances à faire du vélo avec un si *gentil* garçon, on ne l'aurait pas crue, n'est-ce pas ?

– C'est sûr. Tu penses que quelqu'un pourrait le croire ?

– Je ne sais pas. Diffusons la nouvelle, on verra bien le résultat.

– Tu as raison. Laissons *les amoureux* tranquilles et contactons les copines de l'école.

– Au revoir, Zazie. Au revoir, Gaëtan.

– *Jouez* bien !

Après m'avoir transformée en flaque de honte, les Charmille sont parties en gloussant comme des volailles. Je suis restée un long moment par terre à me persuader que tout ce que je venais de vivre n'était qu'un **cauchemar**. Les paupières serrées, je me répétais que Roudoudou n'avait pas disparu, que Gaëtan n'était jamais venu chez moi et que les Charmille ne m'avaient pas vue couchée sous mon vélo avec mon casque Barbie sur la tête. Je me le répétais si fort que j'étais presque arrivée à le croire... quand j'ai entendu Gaëtan.

— Zazie ? Es-tu capable de formuler quelques mots ? Tu ressembles étrangement à un mammifère marin échoué sur une plage.

— Tu n'existes pas, ai-je marmonné en gardant les yeux fermés.

— Erreur, mon existence est bien réelle.

— Tu n'es pas en train de me parler, je fais un cauchemar et **AÏE** !!! (Gaëtan m'avait pincée !) Ça va pas, non ? (J'étais tombée sur un sadique !)

— Je devais te prouver que j'existe.

– Il y avait d'autres moyens !

– Quoi donc ? Une claque ? (Hein ? C'est un vrai **MALADE**, celui-là !)

– Non !

– Une tape ? (Un **PSYCHOPATHE** !)

– Non !

– Un baiser, comme dans *La Belle au bois dormant* ? (Rectification : c'est un **PERVERS** !)

– Non, c'est bon, tu existes !

– Bien. Dans ce cas, puis-je faire quelque chose pour toi ?

– Oui. Tu peux m'apporter une pelle ?

– Pour quoi faire ?

– Creuser ma tombe.

Les Charmille allaient informer la ville entière en un temps record. En plus, on pouvait compter sur elles pour aggraver les choses en ajoutant des détails de leur invention. Mon tour de vélo avec Gaëtan deviendrait la grande *histoire d'amour* de l'été.

Toute l'école nous accueillerait en sep-
tembre avec des bruits de bisous. On tague-
rait **Z+G = LOVE** sur les murs, et plus
personne ne me regarderait sans écla-
ter de rire. Je me suis relevée, bien décidée
à me concentrer sur mes deux objectifs :
1) Retrouver Roudoudou ; **2**) Déménager.

— Nous allons devoir reprendre cette affaire
à zéro, a déclaré Gaëtan en me raccompagnant
chez moi. Je vais rejoindre mes
parents pour le déjeuner.
Je reviens te voir juste après
avec une provision d'idées
géniales. Foi de Sherlock !

J'ai juste soufflé « **D'ACCORD** », anéantie par les conséquences de ma sortie à vélo.
Pourtant, je n'étais qu'au tout début de la journée des humiliations. À peine rentrée chez moi,
ma mère m'a achevée avec sa voix pleine de
sous-entendus.

– Il est *Gentil*, ce garçon. C'est marrant, tu ne m'as jamais parlé de lui.

– Je ne vois pas ce qu'il y a de marrant.

– En même temps, à ton âge, c'est normal d'avoir des *Secrets*.

– Je n'ai pas de secret avec Gaëtan ! C'est l'intello de la classe !

– C'est vrai qu'il a l'air intelligent. En plus d'être *joli* garçon...

Là, j'ai failli m'étouffer.

– Tu le trouves beau ?

– Il n'est pas mal du tout. Vous allez très bien ensemble.

Argh ! Ma propre mère venait de me donner le coup de grâce, juste avant de me dire, comme si de rien n'était, que le repas était prêt. Je me suis assise en ruminant ma vengeance. Il fallait que quelqu'un paye pour tout ce que j'avais subi.

Les parents, ça sert aussi à ça, non ?

Le regard plongé dans le spectacle peu appétissant de mon assiette de betteraves rouges pour bien continuer la journée atroce, j'ai trouvé comment donner une bonne leçon à mes parents. Gaëtan représentait le garçon parfait ? Eh bien, que son modèle me soit au moins utile. Lancement de l'opération Moyen Âge.

– *Mère* ? Auriez-vous l'extrême gentillesse de me passer du pain, s'il vous plaît ?

– Qu'est-ce qui t'arrive, Zazie ? Tu es malade ?

– Je ne saisis point ce que vous voulez signifier par ces paroles, *Père*.

– Pourquoi parles-tu comme ça ?

– Vous avez émis le souhait que je sois plus respectueuse, j'ai à cœur d'obéir aux *vénérables* parents qui m'ont donné la vie.

– Tu te moques de nous, c'est ça ?

– *Point du tout* Père ! Jamais je n'aurais l'insolence de manquer de respect à des personnes de votre qualité.

– Tu nous vouvoies en plus ?

– Cela me paraît plus *respectueux*, Mère.

– Bon, ça suffit, Zazie. Parle normalement.

– Me voilà fort désorientée, Père. Vous n'allez point me reprocher d'être *polie* ?

– Elle n'a pas tort, chéri, a dit ma mère.

– Elle se moque de nous ! s'est énervé mon père.

– On ne peut pas l'empêcher d'utiliser un langage soutenu.

– C'est vrai... Il y a peut-être une autre solution...

– **Père adoré**, auriez-vous l'extrême obligeance de me passer du pain ?

– Quelle solution ? s'est inquiétée ma mère.

– Zazie ? a fait papa.

– Oui, cher Père ?

– Aurais-tu l'extrême obligeance de te taire pour le reste du repas ? Merci.

– Mais enfin, Père...

– Tais-toi !!!

HA HA HA, j'étais fière de moi. J'avais réussi à donner une bonne leçon à mes parents en restant d'une politesse exquise. Plus j'étais calme, plus papa s'énervait ! La vérité, c'est que jamais je n'y serais arrivée sans l'exemple de Gaëtan. Finalement, il a des qualités, ce garçon. Bon, je te le dis à toi, **cher** ...., mais je ne l'avouerai jamais à personne d'autre, même sous

la torture. Enfin, ça dépend de quelle torture, je suis assez douillette...

Cette scène au repas m'a fait du bien et a adouci quelques instants l'angoisse de la disparition de Roudoudou. J'en ai même oublié l'épisode avec les Charmille. Oublié... jusqu'à ce que je me connecte à Internet pour voir si j'avais des messages.

De < anais.star@gmail.com >
à < zazie.lol@free.fr >

Chère Zazie,

J'espère que tu profites bien de ta piscine. Tes parents sont très forts. Ma tata est passée devant chez toi avant-hier et il n'y avait rien dans le jardin. Une piscine installée en si peu de temps, c'est impressionnant.

À part ça, il paraît que tu passes de bonnes vacances avec Gaëtan ? Eh oui, les nouvelles vont vite ! Je suis contente pour toi, vous allez bien ensemble. J'espère que tu continueras à jouer un peu avec nous dans la cour à la rentrée. Tu ne resteras pas toujours collée à ton amoureux quand même ?

Allez, assez papoté, il faut que je rejoigne mes parents car nous partons pour la ville de Florence, un autre paradis italien où l'on fait les meilleures glaces au monde.

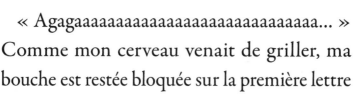

« Agagaaaaaaaaaaaaaaaaaaaaaaaaaaaaaaa... » Comme mon cerveau venait de griller, ma bouche est restée bloquée sur la première lettre de l'alphabet. J'ai fixé l'écran avec les yeux vides d'un bâtonnet de poisson congelé (qui n'a même pas d'yeux, c'est dire). Mes lèvres pendantes ont laissé échapper un filet de bave sur le clavier.

« Agagaaaaaaaaaaaaaaaaaaaaaaaaaaaaaa... »
J'avais croisé les Charmille à peine deux heures avant et Anaïs, au fin fond de l'Italie, était déjà au courant. Elle avait de quoi se moquer de moi jusqu'à la fin de nos jours. Et si Anaïs était au courant, ça voulait dire que les autres...
« «**BIP**» ! Vous avez un nouveau message. »

De < juliebeautefatale@gmail.com > à < zazie.lol@free.fr >

Ma Zazoune,

Tu ne vas jamais le croire, c'est **MÉGA** flippant ! J'ai reçu un montage méga bizarre fait à partir de la photo de notre classe. Ta tête et celle de Gaëtan sont réunies dans un cœur avec un bandeau "Amour pour la vie" ! **MÉGA** bien fait, avec plein de cœurs partout !

MÉGA grave ! Ça vient d'une adresse mail que je ne connais pas. Je ne veux pas t'inquiéter, mais je me demande si quelqu'un ne te veut pas **MÉGA** du mal...

Non ? Tu crois ? Quelle méga perspicacité, ma Julie... Évidemment qu'on voulait ma perte ! Les Charmille n'avaient pas perdu de temps pour ruiner ma réputation. Méga désastre !

« (**BIP**) ! Vous avez un nouveau message. »

Et allez, l'ordinateur sadique enfonçait à nouveau le couteau dans la plaie ! C'était Kenza cette fois. Même le Maroc était au courant ! Ma **HONTE** devenait internationale. Il ne manquait plus qu'on en parle à la télévision. Alerte info sur BFMTV : *Zazie et Gaëtan sont amoureux. Plusieurs sources confirment l'incroyable nouvelle à laquelle nous consacrerons une édition*

spéciale toute la journée. Nous retrouvons nos grands reporters devant le domicile de Zazie. Les tourtereaux devraient bientôt sortir faire du vélo, leur occupation favorite.

J'ai éteint l'ordinateur sans même lire le mail de Kenza. Inutile de m'achever avec des « tro grav tu kiff le boloss **LOL** ? » et autre « C ouf **PTDR** ». Tout le monde était au courant, il n'y avait plus rien à faire. Sauf me faire greffer une cagoule.

Et mon Roudoudou qui n'était pas là pour me consoler ! Ah, fourrer mon nez dans son pelage moelleux, renifler sa bonne odeur de boulette au bœuf, m'oublier au rythme de ses ronronnements sauvages... Le pauvre avait disparu depuis vingt-quatre heures. Qu'est-ce que j'avais fait pour mériter ça ?

Moi qui avais toujours été si gentille, généreuse et aimable. Il n'y avait pas de **JUSTICE**.

Je me disais que j'avais quand même vécu une belle vie, un peu courte sans doute, mais j'avais réalisé de grandes choses qui resteraient longtemps dans les mémoires. Quelles *grandes choses* ? Eh bien, par exemple, mon fabuleux *chocolat à lèvres* ! Tu sais ce qu'est un chocolat à lèvres, *cher* .... ? Non ? Dans ce cas, faisons une pause pour le découvrir. Cela va changer ton existence.

Comment ? Tu préférerais continuer l'histoire et savoir ce que devient Roudoudou ? Je te comprends. Cependant, n'oublie pas un détail : je suis l'auteur et c'est moi qui ? qui ?

☐ *obéis au lecteur*
☐ *fais ce que je veux*

Si tu as coché que l'auteur fait ce qu'il veut, je te félicite. Si tu as choisi que je devais obéir au lecteur, je t'invite à utiliser un effaceur.

Dans les deux cas, tu as gagné la recette du chocolat à lèvres.

Comme tu le sais, le chocolat est le meilleur ami de l'homme. Il doit nous accompagner à chaque instant de notre vie. Moi, je ne peux pas m'en passer. Un jour où, par malheur, il n'y en avait plus dans la maison, j'ai même pelé une glace à la vanille pour manger l'enrobage au chocolat. C'est pour en avoir toujours avec moi que j'ai conçu le chocolat à lèvres, sur le principe du rouge à lèvres.

Ma mère ne veut pas que je me maquille. Elle dit que ce n'est pas de mon âge, blablabla, que j'aurai bien le temps de le faire plus tard, blablabla, et que de toute façon je suis très jolie au naturel. Je suis tout à fait d'accord avec la dernière phrase, pourtant j'aime bien me maquiller quand même. J'ai donc trouvé la solution.

Recette du chocolat à lèvres, par Zazie

①. Vérifie que tes parents sont occupés loin de la cuisine. (Les parents, ça fait rater les recettes.)

②. Prends une tablette de chocolat de 100 grammes. Coupe-la en deux et mange la moitié. (On n'a pas besoin des 100 grammes.)

③. Il te reste 40 grammes. (Ou à peu près. Moi, mon truc, c'est le français, pas les maths.) Résiste de toutes tes forces à l'envie de manger les carrés de chocolat. Sinon, recommence à l'étape ②.

④. Fais fondre le chocolat dans une casserole propre. (Si elle est sale, ça donne un goût.) Pendant que le chocolat fond, prépare ton moule : prends une feuille d'aluminium et donne-lui la forme d'un cylindre en l'enroulant autour d'un gros feutre. Puis ferme une des extrémités du cylindre. (Oui, c'est technique.)

⑤. Retire la casserole du feu dès qu'il y a trop de fumée noire dans la cuisine.

⑥. J'ai oublié ce qu'était l'étape **⑥**, ça ne devait pas être important.

⑦. Fais **COULER** le chocolat fondu dans le moule. Si tu n'as pas pensé à retirer le feutre (ah, c'était ça l'étape **⑥**), jette tout et reprends à partir de l'étape **②**.

⑧. Mets le moule au congélateur pendant une demi-heure. Pendant ce temps, fais un peu de vaisselle. Si ça a trop accroché au fond de la casserole, jette-la discrètement (dans la poubelle du voisin par exemple).

⑨. Retire le moule du congélateur, enlève la feuille d'aluminium qui entoure le cylindre de chocolat et, surtout, résiste à l'envie de croquer dedans. (Sinon, recommence à l'étape **②**.)

10. Récupère un vieux rouge à lèvres dont ta mère ne se sert plus, ou très peu. (De toute façon, à son âge, à quoi bon ?) Retire le bâton de rouge pour ne garder que le support. Lave le support (sinon, ça donne un goût) et insère le cylindre de chocolat dedans.

11. Remercie Zazie à voix haute, puis commence à te mettre du chocolat à lèvres pour connaître le *Bonheur suprême*.

Remarque : si tu es un garçon (désolée) et que tu ne veux pas t'en mettre (tant pis pour toi), offre-le à la fille que tu aimes (si tu n'aimes pas de fille, je ne peux rien pour toi).

Ah oui, un dernier détail. Il faut éviter de faire cette recette en plein été caniculaire. Sinon, le chocolat à lèvres fond à toute vitesse et c'est Halloween au mois de juillet. Dans ce cas, transforme ton chocolat à lèvres en vernis au chocolat. Fais-toi les ongles, tu m'en diras des nouvelles.

Voilà, c'étaient les conseils beauté de Zazie en direct. Il me tarde d'être plus grande pour pouvoir poster des vidéos sur YouTube. Je deviendrai une *SUPERSTAR* avec mes idées GÉNIALES.

Bon, maintenant on peut reprendre l'histoire ? Tu ne t'es pas trop impatienté ? Tu veux savoir ce qu'est devenu Roudoudou ?

Dans ce cas, qu'attends-tu pour sauter au chapitre suivant ?

Cher .... , je te rappelle où j'en étais : mon existence venait de s'effondrer après la disparition de mon Roudoudou chéri à laquelle s'ajoutait la diffusion de rumeurs sur mon « *histoire d'amour* » avec l'intello de la classe. Je me morfondais sur mon lit quand on a sonné à la porte pour la cinquantième fois de la journée. Papa est allé ouvrir, avant de venir me chercher.

– C'est pour toi, Zazie. Un garçon **BIZARRE**.

Bizarre ? O.K., le retour de Gaëtan.

Je me suis traînée jusqu'à l'entrée à la vitesse d'un escargot endormi, et j'ai compris la réaction de mon père... L'intello s'était changé. Il avait revêtu un manteau d'hiver beige à carreaux sous lequel il devait faire 70 degrés, il portait sur la tête une drôle de casquette avec des rabats sur les oreilles, et il brandissait une grosse loupe devant ses yeux. Gaëtan s'était déguisé en Sherlock Holmes ! Il croyait réellement que j'allais sortir dans la rue avec lui habillé comme ça ? Avec tous les journalistes de télévision qui attendaient dehors ?

– Mes hommages, Watson, a lancé Gaëtan. Es-tu disposée à reprendre l'enquête ? As-tu achevé ton déjeuner ?

– **moui**. (Mon enthousiasme devait faire plaisir à voir.)

— Moi, je n'ai pas mangé. C'est une perte de temps pendant une enquête. À la place, je me suis replongé dans quelques nouvelles d'Arthur Conan Doyle, et une idée brillante m'est venue à l'esprit.

— Zazie aussi adore Sherlock Holmes, a susurré ma mère qui passait dans l'entrée, comme par hasard. Vous partagez *les mêmes passions*, c'est formidable.

— **MAMAN !**, ai-je soufflé en sortant mes griffes.

— Je me tais, a-t-elle lâché en déguerpissant pour sauver sa peau.

— Ton félin domestique s'est volatilisé hier en début d'après-midi, a continué Gaëtan. La chaleur était si étouffante qu'un orage a éclaté sur les coups de midi. En consé-quence, lorsque Roudoudou s'est lancé dans sa promenade, il a dû marcher dans de la boue et laisser des traces.

– C'est possible. Tu proposes qu'on cherche des traces de Roudoudou ?

– Non.

– Pourquoi ?

– Parce que j'en ai déjà trouvé ! s'est exclamé Gaëtan en agitant sa loupe. Il y a des empreintes boueuses de pattes de chat sur la palissade qui  sépare ton jardin de celui de ton voisin de droite. Nous sommes sur une piste, Watson !

– À droite, ce n'est pas un voisin.

– Ta voisine, alors.

– Ce n'est pas une voisine non plus.

– Voilà qui est fort intrigant ! Qu'est-ce donc ?

– Ce n'est pas un être humain, c'est madame Farigoule. On devrait l'appeler « créature Farigoule » au lieu de « madame ».

Des traces de mon Roudoudou en direction du jardin de la Farigoule ? Mais oui, ma voisine était la coupable idéale ! Avec sa peau craquelée de lézard, son nez en forme de brocoli, ses jambes poilues et ses tabliers à fleurs à la mode de 1910, elle me fait peur depuis toujours.

Après avoir lu *La Guerre des mondes* de H.G. Wells qui raconte une invasion extraterrestre, je l'avais même soupçonnée d'être un alien.

Elle déteste les enfants et moi en particulier parce que j'aurais soi-disant coupé des tulipes dans son jardin pour la fête des mères une fois ou deux (ou trois).

Comment n'y avais-je pas pensé plus tôt ? Mon affreuse voisine gardait Roudoudou prisonnier ! Le kidnapping était sa vengeance...

– Nous devons nous introduire chez cette personne afin de réunir des indices, a expliqué Gaëtan. Nous allons attendre qu'elle s'absente, puis nous agirons.

– Le problème, c'est que la Farigoule ne sort jamais de chez elle. Elle se fait même livrer ses courses.

– Dans ce cas, appliquons une des méthodes favorites de Sherlock : le déguisement. Grimé en ouvrier ou en vieille femme, il mène ses enquêtes sans se faire remarquer.

– Gaëtan, nous sommes des enfants ! On ne peut pas se déguiser en ouvriers. Ça se verra tout de suite que c'est pour de faux !

– J'ai pourtant revêtu l'habit du détective *avec beaucoup d'élégance*, s'est défendu Gaëtan en montrant son déguisement grotesque. Je n'ai pas eu le temps de dénicher une pipe, mais ce n'est que partie remise.

« Avec beaucoup d'élégance » ! On aura tout entendu ! J'avais envie de lui dire la vérité (« Si le ridicule tuait, tu ne serais même pas né. »), sauf que j'avais besoin de lui pour retrouver Roudoudou. Il fallait que je sois gentille... Que c'était dur !

Quelques minutes plus tard, nous nous sommes retrouvés devant la palissade face à des traces de pas. J'avais pris soin de me dissimuler derrière des arbustes pour que personne ne me voie à côté de Gaëtan.

– Que fais-tu courbée derrière ce bosquet ?

– Rien, je jardine.

– Concentre-toi un peu sur notre affaire. S'agit-il des empreintes de ton chat ?

Aucun doute, c'étaient bien celles de Roudoudou. Il faut savoir que mon chat d'amour a des coussinets très développés qui le rapprochent davantage de l'ourson que du chaton. D'ailleurs, quand il te saute par surprise sur le ventre parce que tu as pris sa place sur le canapé, tu sens la différence (et tu ne refais jamais une telle erreur).

Roudoudou était donc passé du côté obscur de la palissade, dans l'antre du **MAL**.

– Pour entrer chez ta voisine, nous allons employer la stratégie de la diversion. Zazie, tu vas aller sonner chez elle pour lui demander du sucre. Pendant ce temps, j'escaladerai la palissade et...

– Du sucre ? Pourquoi du sucre ?

– Ou du sel, qu'importe. Tu prétendras que ta mère a épuisé ses provisions et qu'elle en a un besoin urgent. Tu m'as bien dit que madame Farigoule était très serviable ?

– Pas du tout ! Elle est aussi bête que méchante.

– Ah oui ? Je suis sûr que tu exagères.

– Je te dis que c'est une psychopathe.

– Elle doit avoir quelques qualités, non ?

– Qu'est-ce qui se passe, tu es sourd ou quoi ? Elle est com-plè-te-ment FOLLE !

– Très bien, a conclu Gaëtan, l'air bizarrement ravi.

C'est à ce moment-là qu'on a entendu le bruit. Une sorte de grondement animal. Un mélange entre le grognement du buffle et la mastication du cochon sauvage. Juste au-dessus de nos têtes.

J'ai levé les yeux. Sur la palissade se tenait une grosse tête en forme de poire molle, un visage traversé de rides comme un dessin de maternelle tout raturé, avec des yeux injectés de sang et des cheveux qui rebiquaient dans tous les sens façon serpents venimeux. La créature Farigoule venait d'apparaître. Sa bouche a fait une atroce grimace avant de lâcher quelques mots grinçants dans un flot de postillons acides :

– On peut savoir QUI est folle ?

Deux secondes plus tard, elle s'est mise à me crier dessus du haut de la palissade. Je l'ai regardée, hébétée, sans que mon cerveau arrive à réagir. Je n'avais même pas l'idée de m'enfuir !

Plus ma voisine hurlait, plus le spectacle devenait effrayant. Son visage prenait des teintes étranges, passant du cramoisi au caca d'oie. Ses poils de nez s'agitaient comme les pattes d'une araignée gigotant dans sa caverne. Quant à son triple menton, il tremblotait comme un gros flan posé sur une machine à laver en plein essorage.

Le festival a duré de longues minutes, la Farigoule s'énervant de plus en plus fort, jusqu'au moment où, emportée par son élan, elle a tenté une cascade. Elle a balancé sa jambe par-dessus la palissade pour passer dans mon jardin ! Un gros jambon poilu capuchonné d'une pantoufle Winnie l'ourson... C'était le début de l'invasion extra-terrestre ! Elle m'avait choisie comme première victime et mon cerveau refusait toujours d'ordonner à mon corps de s'enfuir !

Tu as déjà entendu dire que lorsque notre dernière heure a sonné, on revoit toute notre vie en quelques secondes ? Eh bien, c'est vrai. Peut-être pas toute notre vie, juste le BEST OF . Pour moi, cela s'est résumé aux deux éléments essentiels de mon existence : le chocolat et Roudoudou. Pendant que des centaines de plaquettes de chocolat défilaient devant mes yeux, j'avais plein de flashs de mon gros chat adoré...

Mon matou bébé à son arrivée dans notre maison, petite boule dont on voyait à peine les yeux tellement il était poilu. Son adorable pipi au milieu du salon pour nous dire dès le premier jour qu'il se sentait à l'aise chez nous. Le canapé sur lequel il avait fait ses premières œuvres abstraites pour nous montrer sa fierté que  ses griffes aient poussé... Que de beaux souvenirs, qui allaient disparaître quand la Farigoule m'atterrirait dessus et m'écraserait sous son fessier d'éléphante.

Tout était FINI💀, j'étais condamnée ! Mais bon, tu peux arrêter de stresser, *cher* .... Comme je suis en train de te raconter mon histoire, ça signifie que je m'en suis sortie ! Calme-toi et réfléchis un peu.

Par bonheur, au moment fatal, alors que l'anéantissement de Zazie s'annonçait comme une terrible perte pour l'humanité, un courageux chevalier a volé à mon secours. De qui je parle ? De Gaëtan ? Non ! De papa ! C'était lui, le héros. Nous vivions un grand jour : mon père servait enfin à quelque chose.

Papa a arrêté la Farigoule dans son élan en lui rappelant qu'elle n'avait plus l'âge de jouer les cascadeuses, qu'elle allait se casser en mille morceaux et que personne n'arriverait à reconstituer un puzzle pareil.

Puis il s'est mis en mode parapluie et il a laissé passer l'orage Farigoule, dont les plaintes torrentielles m'ont placée dans la catégorie « enfant criminel coupable de toutes les catastrophes de la planète ». Limite si je n'étais pas responsable du réchauffement climatique !

La créature a vidé son sac, puis elle s'est calmée d'un coup, comme si elle avait épuisé toutes ses cartouches. Elle nous a regardés, **PAPA ET MOI**, avec l'air de se demander qui on était. À travers ses pupilles dilatées, on pouvait voir son cerveau plein d'eau. Elle a poussé un dernier grognement, puis elle a disparu. Claquement de porte, retour à la niche.

– Qu'est-ce que tu as encore fait à la voisine ? s'est énervé mon père.

– Rien. *C'est pas moi*, c'est Gaëtan !

– Ah oui ? Il est où, ton Gaëtan ?

J'ai froncé les sourcils, avant de regarder autour de moi. C'est vrai, ça... Où était Gaëtan ? J'ai essayé de me souvenir. Était-il là pendant que la voisine faisait son numéro d'équilibriste ? Il me semblait que non... Cela voulait dire qu'il avait déguerpi dès que la folle était entrée en scène ? Le **LÂCHE**... Il avait fui ! Ha, ha, ha ! Je n'allais pas le manquer quand il allait remonter le bout de son nez de **'PEUREUX'**, celui-là.

J'ai bien rigolé. Puis j'ai regardé la maison de la Farigoule. Et je n'ai plus rigolé du tout.

Au premier étage, il y avait une fenêtre.

Derrière la fenêtre, il y avait Gaëtan.

Et, pour la première fois, il avait l'air d'avoir **PEUR**.

Que faisait Gaëtan dans la maison de la Farigoule ? J'étais en train de comprendre… Il ne s'était pas enfui quand ma voisine s'était mise en colère, au contraire il en avait profité pour s'introduire chez elle. C'était sa fameuse technique de la **DIVERSION**. Il avait dû penser que la Farigoule passerait ses nerfs sur moi plus longtemps, et voilà qu'il se retrouvait piégé. La créature avait regagné sa tanière. Il fallait que je la fasse ressortir avant qu'elle monte à l'étage et se trouve nez à nez avec ce pauvre Gaëtan.

Comment faire ? D'abord, rester digne de Sherlock Holmes. Garder son calme, ne pas se laisser dominer par ses émotions, réfléchir de façon logique... J'ai cherché autour de moi quelque chose qui pourrait me servir, tout en me parlant à haute voix. Oui, quand je suis stressée, je discute souvent avec moi-même. D'ailleurs, si tu veux tout savoir, on est rarement d'accord, moi et moi. (Mais, à part ça, je vais bien dans ma tête.)

— Tiens, la voiture de maman ! Et si je m'en servais pour...

— Non, tu ne peux pas défoncer le portail de la Farigoule avec la voiture de ta mère.

– Pourquoi pas ?

– Tu avais parlé de réfléchir de façon « calme » et « logique ».

– Et si je mettais le feu à sa poubelle ? Ça la ferait sortir !

– On ne met pas le feu à la poubelle de ses voisins.

– Pourquoi ?

– Parce que les ordures doivent être recyclées. Pense au réchauffement climatique.

– Alors je vais téléphoner à mon cousin Lucas pour qu'il vienne m'aider ! Je vais lui dire que la voisine distribue des bonbons à tous ceux qui viennent sonner chez elle.

– Mauvaise idée.

– Tu as peur qu'il arrive quelque chose à Lucas ?

– Non, j'ai peur qu'il soit trop tard. Gaëtan va être découvert d'une minute à l'autre ! Dépêche-toi !

– J'ai trouvé.

– **BRAVO**, tu es la plus forte.

– Oui, c'est vrai.

Je suis vite rentrée à la maison. Je savais que maman avait le numéro de téléphone de la Farigoule. J'allais trouver un prétexte pour la faire sortir et permettre à Gaëtan de s'enfuir. Le temps de fouiller dans le répertoire de maman et j'étais prête à appeler la créature. J'ai composé le numéro, je me suis pincé le nez, et ça a commencé.

– Allôôôôô ? a grincé la Farigoule.

– Bonjour, madame, ai-je salué avec ma voix nasillarde. Je voulais vous avertir qu'un enfant bizarre était dans votre jardin, derrière votre maison.

– Quoi ? Qu'est-ce que c'est que cette histoire ? Qui est à l'appareil ?

– C'est **ZAZ**... Euh, non, c'est pas moi !

– Hein ? Qui ça ?

– Personne. Je passais par hasard devant chez vous et j'ai vu un enfant entrer dans votre jardin avec une grosse boîte d'allumettes.

– C'est une blague ?

– Je vous jure que non.

– C'est Maurice , c'est ça ? C'est toi, Maurice ?

– Ah non, c'est pas Maurice, c'est Zaz... Euh, personne ! Il faut vite aller dehors, madame. Sortez !

– Si je t'attrape, Maurice, tu vas voir ce que tu vas prendre !

À cet instant, quelqu'un a toussoté dans mon dos. Encore papa ou maman qui venait m'embêter. Ce n'était vraiment pas le moment. J'ai continué.

– Je vous assure, madame, je vous dis la VÉRITÉ.

– Zazie ? a fait une voix derrière moi.

Ce n'était pas possible, toujours à me déranger ! J'ai mis ma main sur le téléphone et j'ai chuchoté :

– Silence. C'est une question de vie ou de mort !

Puis j'ai repris la Farigoule.

– Madame, cet enfant est un **PYROMANE** ! Il faut...

– Zazie, a insisté la voix.

Je me suis retournée. C'était Gaëtan. Je lui ai crié dessus :

– **TAIS-TOI !** Je téléphone, c'est super important ! (À Farigoule) Madame, sortez maintenant, votre maison brûle !

– Zazie, a insisté Gaëtan.

– C'est pas vrai ! Tu ne peux pas te taire ? Je suis en train d'essayer de te sauver la vie ! Tu es bloqué au premier étage de... **HEIN !?!** Qu'est-ce que tu fais là ?

– Je suis sorti par une fenêtre, à l'arrière de la maison. Tout va bien, c'est terminé.

– Allôôôôô ? a hurlé la Farigoule.

Gaëtan était sauvé. C'est bête, mais j'ai ressenti un grand soulagement. J'avais presque envie de le serrer dans mes bras (j'ai bien dit « presque »). J'ai juste ajouté pour la Farigoule :

– C'est une erreur, madame. Allez vous coucher.

Et j'ai raccroché.

– Je te remercie, a fait Gaëtan. Je te dois une fière chandelle.

– Tu me dois surtout des explications ! Qu'est-ce qui t'a pris ?

– C'est simple, j'ai appliqué la stratégie de la diversion. J'ai vu que madame Farigoule se trouvait dans son jardin. Si nous parlions d'elle assez fort, elle allait se rapprocher pour nous écouter. Je me suis arrangé pour qu'elle ait les yeux braqués sur toi et que je puisse mener mes investigations chez elle.

– Pourquoi tu ne m'as pas avertie de ton plan ?

– Il fallait que tu paraisses naturelle. Il valait donc mieux que tu ne saches rien : tu ne SAIS PAS être naturelle.

– J'ai risqué ma vie devant la palissade !

– Ton chat t'en sera reconnaissant.

– Gaëtan, tu es sidérant.

– Merci beaucoup.

– C'était de l'IRONIE.

– Ah ?

– Pas grave, oublie. Dis-moi au moins que tout ça a servi à quelque chose. Tu as découvert des traces de Roudoudou ?

Un grand sourire satisfait s'est dessiné sur le visage de Gaëtan. Il avait l'air content de lui quand il a répondu :

– Non.

– Hein ? Pourquoi souris-tu bêtement, alors ?

– Parce que l'enquête progresse. Nous savons maintenant que Roudoudou ne se trouve pas chez ta voisine.

– Il y a des centaines de maisons dans le coin ! Si on doit les éliminer une par une, on retrouvera Roudoudou quand on sera à la retraite !

– Cela est impossible. Lorsque nous aurons atteint l'âge de la retraite, Roudoudou ne sera plus de ce monde depuis longtemps. L'espérance de vie d'un chat ne dépasse pas…

– C'est bon, Gaëtan, c'était une image !

– Quelle image ?

– Quand je parle de la retraite, ça signifie que ça va nous prendre beaucoup de temps.

– Dans ce cas, pourquoi ne dis-tu pas plutôt :
« ça va nous prendre beaucoup de temps » ?

J'ai laissé tomber. Gaëtan est beaucoup plus
intelligent que mon cousin Lucas, mais il est
largement aussi fatigant que lui. Il faut voir
la vérité en face : les garçons, c'est une espèce

☐ parfois pénible
☐ très pénible
☐ au-delà du pénible

(Coche librement, tu as le choix.)

À l'exception, bien sûr, des garçons qui lisent
mon roman : vous êtes "**SUPER**", ne changez
rien.

Assis dans le jardin, Gaëtan et moi nous regardions les nuages comme s'il allait pleuvoir des idées. L'après-midi était déjà bien entamé et nous ne savions plus quoi faire. Avec le facteur et la Farigoule, nous avions suivi deux fausses pistes.

Roudoudou avait disparu et nous n'avions pas le moindre début d'indice pour le récupérer.

– Je vais devoir te laisser, a dit Gaëtan. Mes parents m'ont demandé de les rejoindre avant l'heure du goûter afin d'aller rendre visite à des amis. Notre jeune âge nous rend malheureusement dépendants de nos aînés, cela est souvent IRRITANT.

– Si je traduis en français, ça signifie que tes parents te saoulent, c'est ça ?

– Ils me... saoulent ? a fait mister Dictionnaire comme s'il entendait ce mot pour la première fois. C'est possible... En tout cas, je dois m'éclipser. Je peux néanmoins te promettre de revenir demain avec une solution.

– Merci, Gaëtan.

L'intello s'est éloigné sur son vélo et j'ai eu un pincement au cœur. C'est vrai qu'il était parfois pénible, mais je me retrouvais toute seule

pour chercher Roudoudou. J'étais bien obligée
de me l'avouer : il allait me manquer,
cette andouille ! Qu'est-ce que
j'allais faire maintenant ?

Comme je ne savais pas par où commencer,
j'ai envisagé le meilleur des moyens pour avoir
les idées claires : un goûter à base de chocolat
et de Sherlock Holmes.

Attablée à la cuisine, en pleine
dégustation d'une tartine de
beurre avec du cacao en poudre,
je me suis imprégnée de la
méthode de Sherlock Holmes
en lisant *Le Signe des quatre*,
une enquête palpitante autour de la disparition
d'un trésor. Évidemment, il a fallu que maman
me fasse la morale.

– Zazie, on ne lit pas à table.

– Je ne lis pas, *Mamounette*, je cherche
Roudoudou.

– Dans un livre ?

– Tu ne peux pas comprendre. C'est la méthode Sherlock Holmes.

– Finis d'abord ton goûter, tu reprendras ta lecture ensuite.

– **CHUT**, Mamounette, tu me déconcentres.

– Pardon ? Non mais je rêve ! J'aimerais que tu sois un peu plus respectueuse.

– Mamou…

– Arrête de m'appeler Mamounette en espérant m'attendrir !

Et voilà : on se décarcasse pour retrouver Roudoudou et on n'a droit qu'à des critiques ! Heureusement, j'avais eu le temps de découvrir dans le livre ce que faisait Sherlock quand il voulait résoudre un mystère. Pour trouver par exemple comment débusquer son ennemi préféré, le terrible professeur Moriarty, il avait l'habitude de réfléchir tout en faisant une activité : soit il fumait la pipe, soit il jouait du violon. Bon, la pipe, mes parents risquaient de ne pas être d'accord, c'était un coup à être privée d'iPhone à vie... Quant au violon, j'avais essayé chez mes grands-parents et, vu leurs têtes, je me demande s'ils n'auraient pas préféré que je fume la pipe... Il me fallait une autre occupation, que j'ai fini par trouver après ma cinquième truffe de chocolat à la framboise (cinq fruits et légumes par jour, c'est important pour la santé).

J'étais dans le jardin en train de réfléchir, avec une pelle dans les mains, quand on est encore venu m'embêter. Cette fois, c'était papa.

– On peut savoir à quoi tu joues, Zazie ?

– Je creuse.

– Je le vois bien. La question est : pourquoi ?

– Pour m'aider à réfléchir.

– Tu as besoin de détruire la pelouse pour réfléchir ?

– C'est la méthode Sherlock Holmes. Je me creuse les méninges en creusant le jardin. En plus, je prends de l'avance.

– De l'avance sur quoi ?

– Sur la construction de la piscine. Je fais le trou, tu n'auras plus qu'à poser le carrelage.

Ça n'a pas loupé : papa m'a confisqué la pelle ! Mes parents ne comprenaient rien aux méthodes scientifiques. Ils faisaient tout pour empêcher la Zazie Holmes qui était en moi de s'exprimer. S'ils continuaient comme ça, j'allais finir par les rebaptiser « les Moriarty »…

Par chance, mon activité piscine m'avait permis de trouver une idée **BRILLANTE**. Comment n'y avais-je pas pensé plus tôt ?

J'avais une arme secrète ! Une arme imparable qu'il suffisait de dégainer pour retrouver Roudoudou : un paquet de croquettes *MiaouMiam* ! Les croquettes préférées de mon chat d'amour, avec lesquelles j'ai passé le reste de l'après-midi à arpenter les rues du quartier.

CRITCH, CRITCH, CRITCH !

Pour Roudoudou, le bruit du paquet de croquettes que l'on secoue est la plus belle musique du monde. **CRITCH, CRITCH, CRITCH** ! Où que se trouve mon matou gourmand, même s'il est plongé dans un sommeil profond, même s'il s'est lancé dans une grande toilette avec léchouillage intégral, il suffit de faire retentir le chant du paquet de croquettes pour le voir débouler ventre à terre.

CRITCH, CRITCH, CRITCH !

145

Quand Roudoudou était encore un chaton, papa adorait lui faire des blagues en secouant le paquet avant de le cacher. Mon pauvre chat arrivait, la queue dressée, tout excité par l'appel des *MiaouMiam*, et il ne trouvait rien à se mettre sous les crocs ! À chaque fois, il appelait ses croquettes perdues en miaulant **MIAOUV** de désespoir. Ça agaçait maman qui disait qu'on risquait des blessures irrémédiables aux tympans, mais comme ça faisait mourir de rire papa, il continuait. À se demander qui est l'enfant dans cette famille...

Moi, je trouvais ça **CRUEL** de jouer avec l'estomac de mon chat sans défense, j'ai donc concocté une vengeance pour donner une leçon au tortionnaire. Œil pour œil, dent pour dent.

 Dans la Bible, ça s'appelle la loi du Talion. Chez nous, ça s'appelle la loi de Zazie.

Un jour que mon père martyrisait Roudoudou en faisant retentir le chant des *MiaouMiam*, je me suis arrangée pour placer discrètement quelques croquettes entre les pages de son journal. Roudoudou a surgi dans le salon. Il a froncé la truffe, il a agité ses moustaches, il a dégainé ses griffes, et... il a sauté sur le journal !

Tu aurais vu la tête de papa ! Il faisait beaucoup moins le malin devant son journal transformé en confettis. En quelques secondes, la tornade Roudoudou avait perturbé le climat : des flocons de papier voltigeaient un peu partout.

Il neigeait dans notre salon, c'était très beau.
Depuis, papa est persuadé que Roudoudou s'est
VENGÉ de lui en attaquant son journal, et il
sursaute dès que mon chat entre dans le salon.
Il n'a jamais recommencé sa blague
pas drôle, et quand c'est lui qui
s'occupe des croquettes, il sert
double dose.

MORALITÉ : avec un peu de doigté, un papa
c'est facile à dompter.

Pour revenir à mon histoire, je suis donc
partie faire un grand tour de quartier avec mon
paquet de croquettes, bien décidée à explorer
chaque rue, chaque jardin, chaque recoin, en
faisant résonner le refrain des *MiaouMiam*.
CRITCH, CRITCH, CRITCH !

En théorie, l'idée était bonne. En pratique,
beaucoup moins. Au début, je ne me suis pas
méfiée. Dès la troisième maison, une chatte

CRITCH CRITCH CRITCH

toute mignonne, attirée par la ritournelle des croquettes, a commencé à me suivre. J'étais ravie, ça me faisait de la compagnie et ses ronronnements étaient adorables. Peut-être allait-elle m'aider à débusquer Roudoudou ? Mais au bout de notre rue, au lieu de mon gros matou d'amour, c'est un chat aux poils gris qui s'est joint à nous en faisant ballotter son ventre en rythme.

C'était amusant, sauf qu'un quart d'heure plus tard et trois rues plus loin, je me retrouvais à la tête d'une douzaine de chats qui miaulaient sur tous les tons en lorgnant mes *MiaouMiam* avec des yeux gourmands. Au bout d'une demi-heure, la troupe comptait dix-neuf chats qui se frottaient contre mes jambes et manquaient à chaque pas de me faire tomber. **19** chats et toujours pas de Roudoudou ! C'était une telle **CACOPHONIE** qu'on n'entendait même plus la mélodie des croquettes.

J'avais décidé de prendre le chemin du retour quand le vingtième chat est apparu. Il paraissait inoffensif avec ses moustaches tordues, son oreille à moitié mangée par les mites et sa queue déplumée. Un vieux chat de gouttière fatigué d'avoir trop bataillé. C'est pourtant lui qui a déclenché les hostilités quand il a commencé à grogner en plissant les paupières pour mieux viser sa cible à croquettes...

Je n'aurais jamais cru ça possible : l'adorable petite chatte qui me suivait depuis le début a été la première à attaquer ! Elle attendait depuis si longtemps qu'elle a pris peur quand le vieux chat s'est approché des friandises.

Elle a dû se dire que c'était injuste que les gros raflent toujours le butin. Si elle voulait sa part, elle devait foncer dans le tas. D'habitude, je suis toujours prête à soutenir les petits contre les grands, sauf que là le tas c'était moi ! Elle m'a sauté dessus en soufflant, les griffes en éventail.

Sous le coup de la surprise, j'ai fait l'erreur de serrer le paquet de croquettes contre ma poitrine pour me protéger. Et l'apocalypse a commencé. Tous les chats ont bondi en même temps sur les *MiaouMiam*. Donc, sur moi.

Pendant quelques minutes interminables, j'ai fait une expérience que personne n'a jamais faite : j'ai contemplé le monde par les yeux d'une croquette. Et ce n'était pas beau à voir. Une abomination tellement indescriptible que je ne peux pas la décrire.

(Non, n'insiste pas. Tu aimes le **GORE**, ou quoi ?) Une vraie scène d'horreur, interdite aux moins de **98 ANS**. (Tu as quel âge ?)

« Oh, mon Dieu ! Pauvre Zazie ! » (Voilà, c'est mieux. Merci de me plaindre.)

Tu crois qu'elle va bien ?

– – Oui. Elle a l'habitude de *zouer* avec les chats.

– *Zouer* à se faire griffer.

– *Zouer* à manzer des poils.

– On a bien fait de prendre notre appareil photo, cette fois.

– C'est sûr. *Ze* me demande où est passé Gaëtan.

– *Z'*espère qu'il n'a pas disparu. Elle a *dézà* perdu son chat, ça ferait beaucoup.

– Pauvre Roudoudou. On a vu tes affiches, Zazie. Qui sait où il peut être ?

– Oui, qui sait ? **Hi Hi Hi**. (Rire bête.)

– Bon, on va te laisser t'amuser, Zazie. À bientôt.

– À la prochaine, c'est *toujours* sympa de te voir.

– Même si tu sens un peu la croquette !

– **Hi Hi Hi**. (Rire très bête.)

Tu as sans doute reconnu les vipères qui viennent de lâcher leur venin ? Oui, ce sont bien **Charlotte** et **Camille**, déjà croisées après ma cascade à vélo. Par quel affreux hasard les Charmille s'étaient-elles retrouvées sur mon chemin, pile au moment où je gisais à nouveau dans une posture ridicule ?

Une idée a commencé à trotter dans ma tête. Et si les Charmille n'étaient pas là par hasard ? Et si elles faisaient exprès de me suivre, juste

pour m'embêter ? Des **PESTES** de compétition capables de consacrer leurs vacances d'été
à gâcher celles des autres... L'idée qui
trottait dans ma tête s'est mise à
galoper. Et si les perfides jumelles
avaient quelque chose à voir avec la
disparition de Roudoudou ? Elles avaient parlé
de lui pendant qu'elles se moquaient de moi et
elles avaient ri... d'une drôle de façon... comme
si elles étaient au courant de quelque chose.

Il fallait que j'en aie le cœur net. Les
Charmille me surveillaient ? À mon tour de
les espionner ! Pour ça, j'avais besoin d'un peu
de matériel. J'étais sans doute moins forte
que Sherlock Holmes, mais notre époque
avait un avantage par rapport à la sienne : les
#NOUVELLES TECHNOLOGIES#.

Je suis passée à la maison récupérer la pano-
plie de la parfaite espionne et, un quart d'heure
plus tard, j'étais dans la rue des Charmille.

Je suis passée en mode camouflage pour me rapprocher de chez elles, à l'abri derrière les voitures garées le long du trottoir. Coup d'œil à gauche, coup d'œil à droite, personne à l'horizon. Mon cœur battait très fort, mon ventre faisait des gargouillis bizarres. J'ai pris une grande inspiration et je me suis lancée... Ouverture du portail, O.K. Petite course dans le jardin jusqu'à la maison, O.K. Progression accroupie jusqu'à la fenêtre des Charmille, O.K. Zazie toujours vivante, O.K. La chambre des Charmille se trouvait au premier étage, la fenêtre était ouverte et j'entendais leurs voix. Elles étaient trop loin pour que je comprenne leurs paroles, mais j'avais tout prévu : j'ai sorti mon matériel.

Leçon du jour : Comment espionner ses meilleures ennemies ?

1. Munis-toi d'un téléphone portable ou d'un appareil photo. Si tu n'en possèdes pas, empruntes-en un à tes parents. Si tes parents ne sont pas prêteurs, oublie de leur demander la permission (mes parents ne sont pas prêteurs).

2. Attache ton appareil sur une perche à selfie télescopique. Si tu n'en possèdes pas, utilise un manche à balai, une canne à pêche, un bambou, n'importe quoi d'assez long pour atteindre le premier étage. (L'espionnage de rez-de-chaussée, c'est pour les petits joueurs).

3. Allume le mode enregistreur vocal ou vidéo, puis place l'appareil juste en dessous de la fenêtre de ta cible pour pouvoir capter le son sans te faire repérer.

Facile, non ? Ah oui, une dernière chose : prévois une excuse valable au cas où tu te ferais repérer. Moi, j'ai oublié de le faire et j'ai été à deux doigts de me faire prendre…

Tout avait pourtant bien commencé. J'avais arraché un long roseau dans le jardin du voisin, j'y avais attaché le smartphone de ma mère avec un élastique à cheveux et j'avais enregistré presque dix minutes de dialogue des jumelles. Une opération parfaite, digne de **MOI**. Et sans l'aide de Gaëtan-Watson !

C'est en sortant de chez les Charmille que ça a failli mal tourner, quand j'ai entendu quelqu'un crier « Zazie ! » **ALERTE ROUGE** dans mon crâne. Sirène d'alarme dans mes oreilles. J'ai détalé sans chercher à savoir qui m'appelait, courbée en deux derrière les voitures, pour m'éloigner le plus possible du repaire des jumelles. Mon cœur battait à cent à l'heure. Est-ce que j'étais suivie ? Qui m'avait repérée ?

Quand j'ai vu un ballon me passer à quelques centimètres du nez, j'ai eu les réponses à mes questions. Car il y a une règle dans notre ville : un ballon est toujours suivi par un... **KÉVIN!**

Tu te souviens de lui ? C'est un garçon de ma classe qui a pour seule passion dans la vie de courir derrière une **baballe**. Même sa grosse tête ressemble à un ballon : dure à l'extérieur et pleine d'air à l'intérieur. Il a surgi au-dessus de moi alors que j'avais presque atteint le bout de la rue. Et il n'était pas seul. Il avait un partenaire de baballe, quelqu'un que je connaissais bien, un garçon qui oubliait souvent de brancher son cerveau lui aussi : mon cousin **LUCAS** !

Kévin et Lucas, le duo de choc. Ils avaient l'air contents de me voir. Moi, un peu moins.

– Salut, Zazie ! s'est écrié Kévin. Tu fais un foot ?

– Salut, cousine, a lancé Lucas. À quoi tu joues ?

J'étais accroupie derrière une voiture, le visage tout rouge, un roseau à la main avec un smartphone accroché au bout. Pas la position idéale pour trouver une explication valable.

– Qu'est-ce que tu trafiques ? a insisté Lucas.

– Tu fais un foot ? a répété Kévin.

Le couple de sportifs parlait fort. Les Charmille pouvaient sortir de chez elles d'une minute à l'autre. Je risquais d'être RIDICULISÉE une nouvelle fois. Il fallait que je déniche une IDÉE. J'ai pensé très fort à Sherlock Holmes pour retrouver mon calme. Appliquer sa méthode. Réfléchir logiquement... L'idée a jailli comme si quelqu'un avait appuyé sur un interrupteur dans ma tête. Je me suis redressée et j'ai lancé :

– On fait un foot !

Un grand sourire a illuminé le visage de mes deux camarades. J'avais prononcé le mot magique, celui qui transforme les lourdauds en gnomes bondissants. J'ai récupéré le ballon des mains de Kévin, je l'ai posé par terre, j'ai pris mon élan et j'ai donné un grand coup de pied dedans. Le ballon est parti dans les airs !

Kévin et Lucas se sont mis à courir derrière comme des chienchiens, en poussant des cris de joie. Moi, j'ai filé dans la direction opposée. Évacuation des garçons, O.K.

De retour chez moi, je me suis enfermée dans ma chambre, puis j'ai écouté mon enregistrement des Charmille en espérant trouver quelque chose d'intéressant. Et je peux te dire, *cher* ...., que j'ai été gâtée ! Morceaux choisis :

Charlotte : Voilà, j'ai posté les photos de Zazie sur le site de l'école. Ça va faire le « **BUZZ** ».

Camille : *trop cruel*, j'adore ! Tout le monde va se moquer d'elle à la rentrée.

Charlotte : Ne me parle pas de la rentrée. Je n'en peux plus des élèves de cette classe. Ils sont tous tellement *bêtes* !

Camille : Ce n'est pas vrai, ils ne sont pas tous bêtes.

Charlotte : Ah bon ?

Camille : Oui, il y a aussi des *idiots* !

(Gloussements de poulailler.)

Camille : À la rentrée, tu diras à Kévin que je suis *amoureuse* de lui.

Charlotte : Tu es amoureuse de Kévin ?

Camille : Non, mais il me faut quelqu'un pour porter mon cartable.

(Ricanements de bébés hyènes.)

Charlotte : À propos de Zazie, je me demande où est passé son chat.

Camille : Ça me rend *Malade* de ne pas savoir où il est.

Charlotte : Tu as de la peine pour Zazie ?

Camille : Non, ça me rend malade parce qu'on aurait pu faire du **CHANTAGE** à Zazie si on l'avait trouvé. *trop dommage* !

(Rires d'otaries obèses.)

Et ça continuait comme ça pendant dix minutes. La bonne nouvelle, c'était que mon pauvre Roudoudou n'était pas aux mains de ces **HARPIES**. Je ne savais pas où il se trouvait, mais on évitait le pire. La deuxième bonne nouvelle, c'est que les jumelles se moquaient de tous les élèves de la classe. Personne n'était épargné !

J'ai donc fait un montage audio de leurs plus remarquables MÉCHANCETÉS et je l'ai posté sur le site de l'école pour révéler le vrai visage de mes meilleures ennemies.

AH, qu'il est bon de se venger ! C'était urgent parce que les Charmille avaient déjà largement diffusé leur poison. J'ai préféré ne pas regarder leurs photos sur le site, les mails de mes copines me laissaient assez imaginer la catastrophe...

De < juliebeautefatale@gmail.com > à < zazie.lol@free.fr >

Alors *Lazoune* ? On parle **TROP** de toi ! J'ai vu la photo qui tourne avec les chats en train de manger des croquettes sur toi : **TROP** lol ! Surtout le chaton qui te grignote l'oreille. **TROP** choupinou ! Et les amours, ça va ??? Dis-moi **TROP** tout !

Pauvre Julie, trop, c'est trop… Je crois que l'air de la montagne ne lui convenait pas du tout. Plus on monte en altitude, moins il y a d'oxygène. Son cerveau ne devait plus être assez irrigué.

De < queen.kenza@yahoo.com > à < zazie.lol@free.fr >

Chère Zazie,

Après plusieurs avertissements de mes parents, je suis obligée de surveiller mon expression écrite. Ne sois pas choquée si je me mets à faire des mails en vieux français, mais on ne me laisse pas le choix. C'est ça ou interdiction de baignade jusqu'à la fin de l'été.

Sinon, j'ai vu les photos postées par Charlotte et Camille ! On t'appelle la *Reine des chats* ! Tu es partout, c'est tro ouf, grav Dment, lol, MDR 😊😊😊 je kiff a mor ma bellllllll !!! 🖤🖤🖤🖤 !!!

Oups, j'ai craqué. Adieu la plage.

Quant à Anaïs, elle n'a pas donné signe de vie ce soir-là. Tant mieux, je n'aurais pas été capable de supporter une **MOQUERIE** de plus. Avant de m'endormir, j'ai repassé dans la tête le film de mon malheur en serrant très fort mon oreiller comme si c'était Roudoudou. Qu'est-ce que mon trésor aux moustaches soyeuses pouvait me manquer !

J'espérais très fort qu'au réveil mon **cauchemar** aurait pris fin et que nous serions à nouveau réunis. Mais j'étais loin d'imaginer ce qui m'attendait.

ma deuxième nuit sans Roudoudou a été affreuse. Il faisait une chaleur **abominable**, lourde et humide. Je n'ai pas arrêté de me retourner dans mon lit et j'ai fait un horrible cauchemar. Mon Roudoudou d'amour se trouvait au sommet de la tour de Big Ben, le monument le plus célèbre de Londres, la ville de Sherlock Holmes. Il portait la même casquette que Gaëtan, il mâchouillait la même pipe, et ses pattes étaient attachées à un élastique.

(Oui, je sais, c'est **N'IMPORTE QUOI** , mais c'est un peu le principe des rêves.) Roudoudou se préparait pour un grand saut devant une foule immense qui l'applaudissait. Moi, j'étais tout en bas, au milieu de touristes passionnés par le spectacle, seule à connaître la terrible vérité : le professeur Moriarty avait cisaillé l'élastique ! Roudoudou était en grand danger et je ne pouvais rien faire : les ascenseurs de la tour étaient en panne, l'escalier comptait plus de mille marches, jamais je n'arriverais au sommet à temps...

Roudoudou s'est élancé dans le vide en agitant ses pattes comme s'il espérait faire voler ses kilos en trop. La foule criait son enthousiasme, les touristes prenaient des photos, mon chat improvisait des figures aériennes – roulade avant, pirouette arrière – quand, soudain, l'élastique a craqué ! Roudoudou a miaulé **MIAOU** à la mort, un formidable coup de tonnerre a retenti et je me suis réveillée en sursaut. Dehors, un orage se déchaînait, des éclairs zébraient le ciel et de l'eau tombait en cascade. Je suis allée à ma fenêtre, ma rue était inondée.

PAUVRE Roudoudou... J'espérais qu'il n'était pas dehors.

Lui qui détestait l'eau, il était servi.

Au matin, après quelques heures de sommeil perturbé, je me suis réveillée encore plus fatiguée que la veille. En allant prendre le petit déjeuner avec la bonne humeur d'un bouledogue au régime, j'ai croisé ma mère dans l'entrée. J'ai grommelé (GNONGNOUR) pour lui faire comprendre que ce n'était pas le moment de me poser des questions, ni de me raconter sa vie, ni

169

même de respirer à côté de moi. Maman a compris le message, elle m'a tendu une enveloppe bleue sans dire un mot.

– Qu'est-ce que c'est ?

– Je l'ai trouvée dans la boîte aux lettres. Il n'y a ni timbre, ni adresse de l'expéditeur, juste ton prénom dessus. Quelqu'un a dû la déposer directement.

Le visage de maman s'est illuminé, elle a retrouvé ce sourire que je déteste.

– Bien sûr... C'est un mot de ton petit copain !

Puis elle m'a fait un clin d'œil, genre « On s'est comprises. Mère-fille complices. Moi savoir que toi avoir amoureux. » Argh !

CLIC
CLIC

– Gaëtan n'est pas mon *petit copain*.

– Je comprends, tu as raison de préserver ton *jardin secret*.

– Je n'ai pas de jardin secret avec Gaëtan !

Maman a eu la bonne idée de s'éclipser juste avant que je me métamorphose en louve-garou, et je me suis retrouvée avec cette enveloppe bleue dans les mains. Qu'est-ce que Gaëtan avait encore inventé ? Il ne pouvait pas venir sonner à la porte comme les gens normaux ?

DING-DONG !

Tiens, voilà quelqu'un de normal qui sonnait chez nous. Puisque j'étais devant la porte, c'est moi qui ai ouvert. **OH**, quelle incroyable surprise... C'était Gaëtan. Toujours accoutré en Sherlock Holmes.

– **HELLO**, dear Zazie! How are you, today?

Il ne manquait plus que ça. Il parlait

☐ américain
☐ anglais
☐ australien

maintenant ! (Tu peux cocher, mais je t'avertis : il y a un piège.) La bonne nouvelle, c'était qu'il ne pouvait pas faire pire.

– And look, je me suis procuré une pipe ! (Ah, erreur, il pouvait faire pire.)

Gaëtan a sorti de sa poche une énorme pipe bizarroïde qu'il s'est mis à suçoter à grand bruit. Pour abréger mes souffrances visuelles, je lui ai collé l'enveloppe sur la figure.

– On peut savoir pourquoi tu m'envoies une lettre si c'est pour venir ici juste après ?

– Voilà qui est fort intéressant, a sifflé Gaëtan en brandissant sa loupe. À coup sûr, ce pli mystérieux a un lien avec notre affaire.

– Ça ne vient pas de toi ?

– Pourquoi t'écrirais-je ? Quelle drôle d'idée !

– Certains garçons écrivent aux filles, ai-je répliqué, vexée. Ça se fait.

– Pas chez Sherlock Holmes en tout cas. Il n'a pas une très bonne opinion des femmes, a affirmé Gaëtan en scrutant l'enveloppe dans ses moindres détails. Il les trouve trop soumises à leurs émotions.

Comme je sentais la colère me transformer en cocotte-minute, je me suis mordu la langue pour faire retomber la pression. Je n'allais pas donner raison à Gaëtan en craquant !

– Après un examen rapide de l'enveloppe, nous pouvons tirer plusieurs conclusions, a continué l'insupportable. La première, c'est que l'expéditeur possède des enveloppes bleues.

– Alors là, **BRAVO** ! ai-je applaudi.

– Cela élimine une bonne partie de la population de cette ville, a poursuivi Gaëtan, imperturbable. Nous progressons. Deuxièmement...

– Si on ouvrait l'enveloppe ? Le plus important est à l'intérieur.

– Pas avant d'avoir épuisé tous les indices...
CRATCH ! Et hop, une enveloppe déchirée !
Ce matin-là, je ne m'appelais pas Miss Patience.

– Un telle action est indigne de Watson !

– Ça tombe bien, je m'appelle Zazie, lui ai-je rappelé en sortant de l'enveloppe un petit carton blanc.

– Encore plus étrange, il n'y a rien d'écrit dessus ! s'est exclamé Gaëtan. À coup sûr, le message a été inscrit à l'encre sympathique. Il faut une source de cha-leur pour le révéler et...

– Ou alors on peut simplement retour-ner le carton, ai-je répliqué en retournant simplement le carton.

Il y avait bien un message derrière. Quelques mots écrits en lettres capitales. J'étais tellement sidérée que j'ai dû m'asseoir pour encaisser le CHOC. Quel SUSPENSE ! Ça te donne envie de continuer, non ? Eh bien, lis !

J'ai ouvert l'enveloppe bleue. Je m'attendais à une demande de rançon, à un message de menaces, à une explication. À tout, sauf à ça :

UN PEU DE PATIENCE ZAZIE. ROUDOUDOU EST EN BONNE SANTÉ. TU LE REVERRAS DANS QUELQUES JOURS.

— *Bizarre, bizarre*, comme c'est étrange, a marmonné Gaëtan en mâchouillant sa pipe.

– On est tombés sur un fou... Il kidnappe Roudoudou quelques jours, puis il me le ramène ?

– Cela manque effectivement de logique.

– Roudoudou est en grand **DANGER** !

– Le mot prétend le contraire.

– Depuis quand il faut croire les kidnappeurs ?

– Tu veux peut-être demander à tes parents ce qu'ils en pensent ? C'est aussi leur chat.

– Ils me diront d'**OBÉIR** et d'attendre. Il faut toujours obéir avec eux.

– C'est peut-être la meilleure chose à faire.

– Il faut agir. Depuis quand Sherlock Holmes obéit aux lettres anonymes ? Je ne te reconnais plus, Gaëtan. Tu abandonnes ?

– Certainement pas. Cette nouvelle énigme est des plus passionnantes. Je brûle de découvrir l'identité du **MYSTÉRIEUX** expéditeur. J'avoue cependant ne pas savoir par où commencer...

– Eh bien moi, je sais, ai-je lancé en affichant ma célèbre expression « Mystérieuse Zazie ».

(Un sourcil froncé, un œil à demi fermé, les lèvres en W, des heures d'entraînement devant le miroir.)

Je suis passée devant Gaëtan qui m'observait avec une mine interrogative, j'ai ouvert la porte et j'ai lancé :

– Suis-moi, Watson !

Le plus beau, c'est qu'il m'a suivie sans rechigner. J'avais enfin maté Gaëtan. Yes !

J'ai pris la tête de notre duo pour traverser la rue en faisant exprès de ne pas prononcer un mot. Inutile de dire que je savourais la situation.

– Aurais-tu l'obligeance de m'informer sur notre destination ?

– Bien entendu, cher Watson. Vois-tu, notre voisine d'en face, madame Bridoux, est une vraie commère. Elle passe sa vie derrière sa fenêtre à espionner tout ce qui se passe dans la rue. Avec un peu de chance, elle aura vu qui s'est arrêté ce matin devant notre boîte aux lettres pour y glisser l'enveloppe bleue.

— Si cette dame reste toujours fidèle à son poste, peut-être a-t-elle assisté au kidnapping de Roudoudou ? Tu n'as pas songé à le lui demander ?

— Courageuse tentative pour reprendre la direction de l'enquête, mon cher Watson, mais madame Bridoux est évidemment la première personne que j'ai interrogée le jour de la disparition. Elle n'avait rien remarqué de **BIZARRE**.

— Ça, c'est étrange, a commenté Gaëtan.

— Quoi donc ?

— C'est **ÉTRANGE** qu'il n'y ait rien eu de bizarre.

— Tu peux traduire ?

— Si ta voisine n'a vu personne dans votre jardin dimanche, comment Roudoudou a-t-il pu être kidnappé ?

– J'imagine qu'il arrive à madame Bridoux de quitter sa fenêtre. Elle doit aller aux toilettes de temps en temps.

– Cela n'en reste pas moins bizarrement étrange, a continué Gaëtan.

Inutile de sonner chez Mme Bridoux. Elle nous avait vus arriver de sa fenêtre.

– Oh, c'est notre petite Zazie ! a susurré ma voisine en ouvrant sa porte. C'est gentil de me rendre visite. Avec un sympathique *jeune homme* en plus !

– Enchanté, madame, je me prénomme Gaëtan.

– Jonathan ? Voilà un *joli prénom* !

– J'ai oublié de te dire, ai-je murmuré à Gaëtan, elle est un peu « SOURDINGUE ? ». Il faut parler fort.

– Je suis enchanté de faire votre connaissance, a recommencé Gaëtan en haussant la voix.

– Ah non, mon grand, je ne me souviens pas de ta naissance.

– Euh, très sourdingue, ai-je précisé.

– Ravi de vous rencontrer, a hurlé Gaëtan.

– Voilà un garçon *bien poli* ! Bravo pour tes fréquentations, Zazie. C'est important de choisir un *petit copain* sérieux.

Et allez, c'était reparti ! Toute la ville avait décidé de nous marier !

– Gaëtan n'est pas...

– J'ai vu votre photo sur Facebook. Vous allez très bien ensemble.

Quoi ? Les Charmille avaient aussi diffusé les photos sur Facebook ? Et même Mme Bridoux avait un profil ? La honte interplanétaire !

– Il ne faut pas croire tout ce qu'on trouve sur Internet, a rappelé Gaëtan. Les réseaux sociaux diffusent toutes sortes d'informations erronées.

– Oui, tu as raison, **GONTRAN**, il fait chaud cet été.

J'ai ouvert l'enveloppe...

Alors que Mme Bridoux continuait à répondre n'importe quoi, j'ai aperçu quelque chose que je croyais impossible : Gaëtan, le visage écarlate, qui se pinçait les lèvres pour retenir... un fou rire !

– Madame Bridoux, ai-je crié bien fort pour capter l'attention de ma voisine pendant que Gaëtan, les larmes aux yeux, se mettait à tousser pour dissimuler son hilarité.

– Oui, Zazie, que puis-je pour toi ?

– Je voudrais savoir si ce matin, très tôt, vous avez vu quelqu'un s'arrêter devant ma boîte aux lettres pour y glisser une enveloppe ?

– Ce matin ? C'est que je ne passe pas mon temps devant ma fenêtre !

– On ne sait jamais. (Nouvelle toux féroce de Gaëtan.) Si vous avez regardé par hasard... (Gaëtan en train de s'étouffer.)

– Ton ami a dû avaler quelque chose de travers, non ?

– Ne vous inquiétez pas, ce ne sera pas une grande perte, ai-je répondu en donnant un coup de coude dans

les côtes de Gaëtan. Alors, vous n'auriez pas remarqué quelque chose ?

– Ah non, désolée. En revanche, j'ai remarqué quelque chose. (Gaëtan à l'AGONIE.)

– Un homme ?

– Oui, c'était une voiture ! Elle s'est arrêtée devant chez toi quelques secondes et elle est repartie.

– Vous avez reconnu le conducteur ?

– Oui. Par contre, je n'ai pas reconnu le conducteur. (Gaëtan décédé.)

– C'était quelle marque de voiture ? Elle était de quelle couleur ? ai-je articulé le plus possible pour que Mme Bridoux lise sur mes lèvres.

— Ah ça, je ne peux pas l'oublier, on en voit si peu de nos jours. C'était une 2CV. Une 2CV verte. Une voiture de mon époque ! Un jour, nous sommes partis en vacances avec mon mari à Palavas-les-Flots et nous avons…

— Quelle belle histoire ! l'ai-je interrompue avant qu'elle nous raconte toute sa vie. C'est passionnant, malheureusement nous devons vous laisser. Mon ami a oublié de prendre ses médicaments.

— Il est malade ?

— Rien de grave.

— Moi aussi, j'ai eu une indigestion. Comme on dit, il vaut mieux ça que d'être sourd !

Là, j'ai évacué Gaëtan en courant avant qu'il ne s'étouffe pour de bon. Pour son premier fou rire, il avait choisi la taille **XXL**.

Arrivé sur ma pelouse, Gaëtan s'est allongé, plié en deux.

— Qu'est-ce qui t'a pris ? Tu m'as fait honte !

– Je ne sais pas, a répondu Gaëtan en reprenant peu à peu son sérieux. Je ne comprends pas ce qui m'est arrivé.

– Ça s'appelle un **FOU RIRE**.

– C'est une première pour moi.

– Ça ne peut pas te faire de mal. Tu te souviendras de madame Bridoux.

– Il vaut mieux ça que d'être sourd !

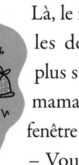

Là, le fou rire, on l'a eu tous les deux. On ne pouvait plus s'arrêter. Même quand maman a passé la tête par la fenêtre de la cuisine pour dire :

– Vous vous amusez bien ensemble, ça fait plaisir.

C'est alors qu'il s'est passé un truc incroyable. Gaëtan a répondu à ma mère :

– Non merci, on n'a pas soif !

Puis il s'est marré tout seul pendant que je le regardais avec des yeux ronds.

– Gaëtan, tu as... tu as fait de l'**HUMOUR** !

– Tu... tu crois ? a-t-il bredouillé, perturbé comme s'il avait attrapé une maladie.

– C'est sûr ! Attention, messieurs dames, Gaëtan l'intello fait de l'humour. Écartez-vous, ça peut faire mal !

On a éclaté de rire tous les deux. Après ces journées d'angoisse, ça faisait du bien. Si un jour on m'avait dit que je piquerais un fou rire avec un intello...

Après avoir pleuré de rire sur la pelouse, on s'est quand même remis à cogiter. Cette fois, nous détenions une piste sérieuse. Il fallait la suivre jusqu'au bout. Trouver la 2CV verte, c'était trouver l'auteur du mot anonyme. Et trouver l'auteur, c'était trouver Roudoudou.

– Une 2CV verte est une voiture très rare, a dit Gaëtan. Ça ne devrait pas être difficile de la localiser.

– La ville est grande. Si on doit explorer toutes les rues, on n'a pas fini.

– Pour aller plus vite, nous pourrions enfourcher notre VÉLO...

– Non, je ne remonterai jamais sur un vélo ! Dès qu'on a retrouvé Roudoudou, je désosse le mien.

– Dans ce cas, je te propose une autre idée.

– Une idée sans roues ?

– Sans roues.

– Sans pédales ?

– Sans pédales.

– Je t'écoute.

– Tu n'as qu'à me suivre, a lancé Gaëtan avec un sourire en coin, avant d'ajouter : Watson.

GRRR... Le traître !

Rue de la douce Belette, 10 h 53. Mme Crapouille, la femme du maire, est sur son balcon en train de se curer le nez. Elle croit qu'elle est à l'abri des regards. Tout faux !

– Je te vois, la mère Crapouille. Ce n'est pas joli de se fourrer le doigt dans les narines.

– Zazie, arrête...

– Elle se gratte même les fes...

– Zazie !

– C'est rigolo, elle...

– Zazie, je t'ai confié ces jumelles pour repérer la 2CV verte, pas pour espionner les gens et te moquer d'eux.

– Tu as raison, Gaëtan. Mais c'est drôle…

– Tu veux bien te concentrer ?

– D'accord. Oh, Monsieur Grabelin est en caleçon sur son balcon.

– Zazie, rends-moi les jumelles.

– Non, c'est bon, je me concentre. C'est promis. Un caleçon à fleurs !

Les jumelles de Gaëtan étaient géniales. Nous avions grimpé jusqu'au sommet de la colline qui domine notre ville. De là-haut, on voyait une grande partie des rues, ce qui augmentait nos chances d'apercevoir la 2CV verte.

Que c'était drôle de découvrir la ville d'en haut ! J'avais l'impression d'être une déesse qui observe les humains de son nuage, qui voit tout et qui sait tout. Ce qui m'a choquée, en scrutant les maisons de mon lotissement, c'est qu'elles avaient presque toutes une piscine… Seul notre jardin restait sans eau, tout vert, au milieu des autres. La **HONTE** !

De là-haut, j'ai aussi repéré les maisons de mes copines. Celle de Kenza avec ses tuiles rouges (car neuves), celle de Julie avec ses tuiles vertes (car moisies) et celle d'Anaïs, une jolie villa qui ressemblait un peu à la mienne (car Anaïs a toujours été copieuse). N'empêche, elle avait une sacrée chance, cette peste. Moi aussi, j'aurais adoré me balader en Italie, découvrir la statue de la Liberté de Venise ou la tour Eiffel de Rome. Oh, pardon : la statue de la Liberté se trouve à Moscou, bien sûr. À Venise, on visite les Pyramides. (Des fois, je confonds. Mon truc, c'est le français, pas la géographie.)

Anaïs m'avait expliqué que sa tante gardait leur maison en leur absence pour éviter un cambriolage. C'est pour ça que les volets étaient ouverts. Les jumelles de Gaëtan étaient très puissantes. À cette distance, on voyait même l'intérieur des pièces, c'était incroyable.

La cuisine, le salon, la chambre d'Anaïs... et un truc **BIZARRE**. Très bizarre.

Tiens, quelque chose est passé devant la fenêtre. Quelque chose de petit, de blond, habillé d'une robe à rayures, qui vient de repasser...

Mes jumelles ne pouvaient pas mentir. Pourtant, je ne pouvais pas les croire.

– C'est... c'est **IMPOSSIBLE**... ai-je bredouillé, soufflée par la surprise.

– Tu as localisé Roudoudou ?

Non, ce n'était pas Roudoudou. C'était une chose aussi incroyablissime qu'impossibilesque. (Je sais, ça n'existe pas. Mais ça devrait.) Ce que j'avais sous les yeux, c'était... **ANAÏS** !

– Anaïs m'a menti, elle n'est pas en Italie...

– Nous nous enfonçons dans l'étrange, a réagi Gaëtan en me prenant les jumelles des mains. Tu es sûre que tu ne fais pas erreur ?

– Je l'ai vue, dans sa chambre ! Je reconnaîtrais son vilain nez de traîtresse entre tous.

– Peut-être une hallucination due à la chaleur ?

– **TU M'AGACES**. Tu ne me crois jamais.

– Les apparences sont trompeuses, Sherlock Holmes l'a assez démontré, a rappelé Gaëtan tout en fixant la maison d'Anaïs avec ses jumelles. Pourtant, il semblerait que tu aies raison. C'est bien Anaïs que je vois moi aussi.

– Pourquoi m'a-t-elle fait croire qu'elle était en Italie ? Et tous ces mails qu'elle m'a envoyés ?

– Cela fait une nouvelle **ÉNIGME** à percer.

– Et si tous ces mystères étaient liés ?

– Tu suggères qu'Anaïs est impliquée dans la disparition de Roudoudou ?

– Elle m'a forcément menti pour dissimuler quelque chose. Et, comme par hasard, Roudoudou disparaît au même moment ? Puis je reçois un message anonyme de la part de quelqu'un qui semble bien nous connaître, Roudoudou et moi...

– Tout cela me semble plutôt facile à résoudre.

– Vraiment ?

– Oui. Il suffit d'aller rendre visite à ton amie.

Pendant que nous mar-chions vers la maison d'Anaïs, les idées se télescopaient dans ma tête comme des balles de ping-pong. Je n'arri-vais pas à imaginer ma copine en voleuse de Roudoudou. On s'était souvent disputées, on s'était parfois joué des mauvais tours, mais jamais on n'avait commis un acte aussi **GRAVE**.

Même les jours où notre amitié tournait à l'orage, on se souvenait qu'on était aussi les meilleures amies du monde. C'est peut-être un peu compliqué à comprendre, pourtant c'est comme ça entre Anaïs et moi.

J'ai réfléchi à ce qui avait pu se passer. C'est vrai que le dernier jour d'école, Anaïs était furieuse contre moi. J'avais voulu l'aider avec un stratagème génial qui avait un peu raté. Je t'explique, cher .... Anaïs est amoureuse de Mathis qui de son côté ne la regarde jamais. L'idée, c'était de faire d'Anaïs une fille intéressante (j'aime les défis). J'avais donc fait croire à Kévin qu'Anaïs était amoureuse de lui dans le but de rendre jaloux son copain Enzo qui aime en secret Anaïs. Jusqu'ici, tu suis ? Mon idée brillante, c'était que Kévin et Enzo se disputent dans la cour à propos d'Anaïs. S'ils pouvaient se battre un peu, c'était encore mieux. Ça aurait fait comprendre à Mathis qu'Anaïs était une fille très convoitée, donc intéressante. Super idée, hein ? Malheureusement, le jour où j'ai parlé à Kévin, Enzo et Mathis étaient absents. Résultat, Kévin ne s'est battu avec personne et il a passé la journée à courir après Anaïs pour qu'elle lui fasse un bisou. Et toute la cour de récréation s'est moquée de leur grande histoire d'amour...

Même si je comprenais qu'avec son mauvais caractère elle soit fâchée contre moi, je ne pouvais pas la croire capable d'une action aussi méchante que le kidnapping de Roudoudou. Pourtant, une fois arrivée devant sa maison, je ne pouvais plus avoir aucun doute.

La porte du garage
était ouverte et laissait
voir la voiture de sa
tante.

Tu as déjà compris,
j'imagine ? C'était la 2CV verte.

Anaïs était donc coupable de la disparition
de mon 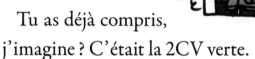. À cause d'elle,
j'avais vécu trois jours dans l'angoisse, j'avais
été obligée de m'associer à l'intello de la classe,
je m'étais ridiculisée en vélo, et toute l'école
se moquait de moi.

Elle allait me le payer.

– Je te demande de garder ton calme,
a dit Gaëtan au moment où j'appuyais sur la
sonnette. Réglons cette affaire avec dignité,
comme l'aurait fait Sherlock
Holmes.

– Compte sur moi, ai-je
répondu en serrant les poings.

Quelques secondes plus tard, la porte de la maison s'est ouverte et la tante d'Anaïs est apparue. Quand elle nous a vus, son visage s'est décomposé. Son sourire a viré à la grimace et sa paupière gauche s'est mise à clignoter. Une tête de coupable qui vivait un bon coup de stress. La complice démasquée !

– Tiens, Zazie ? Comment vas-tu ? a-t-elle fait avec un ton « **SUPER NATUREL** ».

– Très bien merci, ai-je répondu avec des glaçons dans la voix. Nous venons parler avec Anaïs.

– Anaïs ? Elle... elle n'est pas rentrée d'Italie.

– Dans ce cas, a rétorqué Gaëtan, nous voudrions rencontrer sa sœur jumelle cachée.

– Pardon ? s'est étranglée la tata, le visage écarlate.

– Celle qui vit dans sa chambre et que nous avons vue à sa fenêtre, ai-je lâché pour l'achever.

Le visage de la complice s'est complètement affaissé sous la consternation. Cette fois, elle n'échapperait pas à quelques séances de lifting.

– Oh, et puis **ZUT** ! J'avais bien dit à Anaïs que toute cette histoire était **RIDICULE**. Je vais la chercher.

« C'est ça, allez la chercher, ai-je pensé alors que la colère bouillonnait en moi. Pendant que vous y êtes, rapportez aussi du désinfectant et des pansements. Il risque d'y avoir des blessés ! »

– On a dit qu'on restait calmes, a répété Gaëtan qui devait avoir remarqué qu'un peu de fumée sortait de mes oreilles.

– TU as dit qu'on restait calmes, ai-je corrigé en faisant craquer mes doigts.

Dans quelques secondes, nous serions face à face, Anaïs et moi. Le **CHOC** allait être terrible.

Il n'y avait plus d'amie, il n'y avait plus d'ennemie : il n'y avait plus qu'une voleuse de Roudoudou. Et tout le monde sait qu'il existe une règle absolue, valable dans l'Univers entier : on ne touche pas à un poil de Roudoudou !

Cher ...., à ce stade de l'histoire, je suis obligée de t'avertir. Si tu es une personne sensible qui ne supporte pas la vue d'une goutte de sang, si tu fermes les yeux dès qu'apparaît une image violente à la télévision, si tu gardes encore des doudous dans ta chambre parce que c'est trop mignon, eh bien, soyons claire : tu peux continuer à lire ce livre tranquillement. Car le cataclysme annoncé n'a pas eu lieu. La bataille finale a été annulée. La maison ne s'est pas écroulée. Anaïs est restée entière.

La vérité a dépassé tout ce que je pouvais imaginer.

omment décrire le visage d'Anaïs qui se tenait devant nous, sur le pas de sa porte... Tu as déjà vu une amanite tue-mouches ? Le champignon rouge avec plein de points blancs dessus ? Eh bien, Anaïs était une amanite tue-mouches inversée : une peau blanche avec plein de points rouges dessus. Elle s'était métamorphosée en *varicelle girl* ! Très impressionnant. J'ai eu envie de prendre une photo. N'empêche, ça m'a fait un choc de la retrouver avec cette tête et c'est comme ça que j'ai su que c'était vraiment mon amie.

J'avais de la peine pour elle, mais j'avais quand même envie de prendre une photo.

Elle nous a dit (bonjour) d'un air très embêté. De mon côté, j'ai su rester calme :

– Où est Roudoudou ? C'est quoi ces boutons sur ta figure ? Pourquoi t'es pas en Italie ? Où est Roudoudou ? C'est quoi ces... (Correction : j'ai su rester presque calme.)

– Doucement, Zazie, est intervenu Gaëtan. Laisse parler ton amie.

– D'abord, rassure-toi, a fait Anaïs, Roudoudou va très bien.

– Comment as-tu osé me voler mon chat ?!?! ai-je crié en retenant mon envie de lui caresser les joues avec mes ongles. (Elle avait de la chance : j'avais trop peur d'attraper le CHOLÉRA en touchant ses boutons dégoûtants).

– Ce n'est pas ce que tu crois, je n'ai pas volé Roudoudou. Je vais tout t'expliquer.

Cher ...., la phrase que vient de prononcer Anaïs signifie qu'on approche du dénouement de cette histoire. Si tu as envie de boire ou d'aller aux toilettes, c'est maintenant, parce qu'après tu ne pourras pas arrêter ta lecture tellement tu seras pris par le suspense. C'est bon ? Tu as fait ce que tu avais à faire ? Alors, on y va. Anaïs est debout sur son palier, Gaëtan et moi nous l'écoutons.

– J'ai attrapé la varicelle la veille du départ en Italie. Je me suis réveillée avec une grosse fièvre et le corps recouvert d'affreux boutons. Quand je me suis vue dans le miroir, j'ai voulu mourir. Ma carrière de top model était fichue.

– Il s'agit là d'une réaction irrationnelle, a commenté Gaëtan.

Anaïs m'a regardée en grimaçant, genre « Qu'est-ce qu'il raconte, ce **FOU** ? ». Je lui ai répondu d'un hochement de tête, style « T'occupe pas, sa maladie à lui est permanente ».

– Chacun sait que les manifestations cutanées de la varicelle ne sont que temporaires, a continué Gaëtan, toujours généreux en commentaires désagréables.

– *Gnagnagna* gnagnagna, a sagement répondu Anaïs. Donc, j'étais malade et c'était la catastrophe parce que mes parents ne pouvaient pas se faire rembourser les billets d'avion ni les hôtels qu'ils avaient réservés. La seule solution, c'était qu'ils partent tous les deux. Moi, je suis restée avec ma tante.

– C'est **HORRIBLE** ! J'aurais presque de la peine pour toi si tu ne m'avais pas envoyé tes faux mails, espèce de menteuse !

– Je regrette, j'étais tellement furieuse de rester enfermée ici. Et comme je ne voulais pas qu'on me voie avec ces boutons, j'ai préféré faire croire que j'étais partie. Mais si on parle de menteuses, j'en connais qui font croire qu'elles ont une piscine...

– Ça n'a rien à voir !

– C'est exactement la même chose.

– Tu devrais avoir HONTE.

– Je te rappelle que j'ai mis le message dans ta boîte aux lettres pour te rassurer à propos de Roudoudou. J'ai fait ça par pure Gentillesse.

– Si tu voulais être gentille, tu aurais pu commencer par ne PAS enlever mon chat ! ai-je crié de colère.

– Je ne l'ai pas enlevé ! a hurlé Anaïs.

– Qui est coupable alors ? ai-je braillé encore plus fort pour lui faire comprendre qu'elle n'allait pas gagner à ce jeu-là.

– Personne, a lâché Gaëtan.

– Quoi ?

– Gaëtan a raison, a confirmé Anaïs en jetant un œil étonné en direction de l'intello. Personne n'a enlevé Roudoudou. Il est venu s'installer chez nous tout seul. Il doit y être depuis dimanche, mais je ne m'en suis aperçue qu'hier soir.

– Tu mens ! Pourquoi Roudoudou serait-il venu chez toi ? C'est **MON** chat.

– Pas exactement, est intervenu Gaëtan. Tout le problème est là.

– Qu'est-ce que ça veut dire ?

– Si tu prends la peine de raisonner à la manière de Sherlock Holmes, tu dois pouvoir le comprendre par toi-même. Je propose que nous nous rendions à la cave, l'explication n'en sera que plus claire, n'est-ce pas Anaïs ?

Anaïs a jeté un regard sidéré vers Gaëtan avant de bredouiller :

– Co... comment sais-tu pour la cave ?

Gaëtan a sorti sa pipe de sa poche et l'a mise à la bouche avant de s'exclamer :

– Élémentaire, mes chères Watson ! Allons-y, je vais dérouler le fil de mon explication en chemin.

Pendant qu'Anaïs nous guidait vers sa cave, Gaëtan continuait de parler.

– Ma chère Zazie, j'imagine que Roudoudou n'appréciait pas l'intense **CHALEUR** de cet été.

– C'est vrai, et alors ?

– Dans les maisons sans climatisation, la cave est la seule pièce capable de procurer de la fraîcheur. Anaïs vit dans une des rares maisons du quartier qui en possède une : j'ai remarqué en arrivant la petite fenêtre d'aération caractéristique au niveau du sol. Une ouverture par laquelle un chat peut facilement se faufiler. Par conséquent, c'est un pur hasard si Roudoudou se trouve chez Anaïs. Il cherchait un abri au **FRAIS**. Il a pris ce qu'il a trouvé.

– Pourquoi Roudoudou aurait-il besoin d'un abri ?

– C'est la bonne question que tu dois te poser. Pourquoi un chat passerait-il plusieurs jours enfermé dans une cave ?

– Il n'y a aucune raison. Un chat ne ferait jamais ça.

– Exactement. Tu peux donc en tirer une conclusion logique.

– Quelle conclusion logique ? Je ne vois pas du tout...

– Si un chat ne fait jamais ça, c'est que ? C'est que ?

– C'est que quoi ? Je ne comprends rien à ce que tu racontes !

– C'est que Roudoudou n'est pas un chat.

J'ai regardé Gaëtan avec pitié. Il était devenu fou pour de bon. Un intello, ça réfléchit trop. Ça use les tuyaux du cerveau beaucoup plus vite que les autres personnes, comme une voiture qui a trop roulé. Pauvre Gaëtan, il fallait lui changer des pièces.

Nous sommes arrivés en bas des marches. La cave d'Anaïs était dans un grand désordre. Des tas de cartons par terre, des étagères pleines de boîtes de conserve, de vieux livres moisis... J'ai cherché du regard mon chat d'amour.

Mes yeux se sont arrêtés sur une pile de tablettes de chocolat... quand un miaulement a retenti dans un coin. Je l'aurais reconnu entre mille. Mon Roudoudou ! Je me suis précipitée, j'ai soulevé un carton et... j'ai compris.

Gaëtan avait raison. Sa déduction logique était la bonne. Je ne voulais pas le croire, mais il était digne de Sherlock Holmes. C'était indéniable : Roudoudou n'était pas un chat.

Pour une **SURPRISE**, c'était une sacrée surprise.

Je me suis approchée tout doucement. Allongé dans une panière, Roudoudou me fixait de ses grands yeux en miaulant gentiment. Le plus extraordinaire, c'est que trois adorables boules de poils étaient blotties contre son ventre.

Trois mini-Roudoudou que Roudoudou léchouillait avec beaucoup de tendresse. Trois petits chatons qui tétaient... leur maman.

Roudoudou n'était pas un chat. Roudoudou était une **CHATTE** !

Chez nous, personne n'avait jamais réussi à connaître le sexe de Roudoudou tellement sa masse de poils était énorme, et personne n'avait été assez inconscient pour aller y voir de trop près. Quant au vétérinaire, il n'a jamais pu l'approcher ! Alors, dans le doute, et étant donné son comportement un peu rude (les filles sont tellement douces, c'est connu, non ?), on avait décidé que c'était un mâle.

Le **SCOOP** de l'été, c'est que Roudoudou était une fille.

Cher ...., cette histoire touche à
sa **FIN**. Oui, je sais, c'est 👁️ *triste*. Oui, tu
voudrais que ça ne se termine jamais. Oui, tu ne
peux plus te passer de moi.
Je te comprends parfai-
tement : moi aussi, je
m'aime beaucoup.

Plus sérieusement, sois sin-
cère et dis-moi si tu as trouvé cette histoire

☐ formidable
☐ extra
☐ géniale

(coche ce que tu veux, tu es libre).

De mon côté, je t'ai trouvé(e)

- ☒ excellent(e)
- ☐ bof
- ☐ beurk

Si, si, tu as été parfait(e), j'ai apprécié ta façon de tourner les pages et de m'admirer. Non, je ne me vante pas : je plaisante ! Tu n'as quand même pas le même problème avec l'humour que Gaëtan ?

Je voudrais aussi avoir une pensée pour MONSIEUR Arthur Conan Doyle, l'écrivain anglais qui a inventé Sherlock Holmes. Il y a long-temps qu'il est mort mais,

(A. CONAN DOYLE)

grâce à ses livres, il m'a soutenu le moral pendant cette terrible épreuve et il m'a fait comprendre quelque chose d'essentiel : qu'importe qu'on soit Sherlock Holmes ou le docteur Watson, l'impor-tant, quand on est face à une difficulté, c'est d'avoir un ami pour vous épauler. Car les aventures du plus grand des détectives sont d'abord une histoire d' *amitié* .

Grâce à notre enquête, Gaëtan est devenu mon premier ami garçon. Je le remercie pour tout ce qu'il a fait pour Roudoudou et moi. (Je deviens sentimentale ? J'espère que ça se soigne !)

Alors que j'écris ces dernières lignes sur l'ordinateur, Roudoudou ronronne à côté de moi, sur mon lit. Depuis qu'il est une fille, je trouve qu'il a meilleur caractère. Plus doux, plus patient, plus gentil : une fille, quoi ! Bon, mon père a encore trouvé hier son journal déchiqueté après avoir agité par erreur un paquet de croquettes, mais c'est peut-être un accident...

En revanche, il y en a une qui adore m'embêter en marchant sur le clavier ou en grimpant sur mes épaules : une boule de poils nommée Pompon qui a bien grandi depuis sa naissance dans la cave d'Anaïs. Une femelle intrépide et curieuse qui n'arrête pas de faire des bêtises. Elle est tellement adorable quand elle me regarde avec ses petits yeux craquants que je lui pardonne tout. Je sens qu'elle va me donner des tas d'histoires à raconter, celle-là.

Son frère et sa sœur ne vivent plus avec nous, même si on les recroise souvent : on se fait des après-midi chatons-party ! Anaïs a adopté Prunelle, une chatte tigrée toute mignonne, et Gaëtan s'occupe de Papouf, un gros pataud fainéant très drôle. Nos trois familles sont liées maintenant : me voilà cousine avec Anaïs et Gaëtan. Cousine par alliance féline. Avec la peste et l'intello de la classe. **GÉNIAL...**

Après avoir retrouvé Roudoudou chez Anaïs, j'ai ressenti un tel soulagement que j'en ai pleuré. Anaïs aussi s'est mise à pleurer. C'est à des signes comme ça qu'on voit que c'est une de mes meilleures amies. Bien sûr, elle m'a menti, mais j'ai compris ses raisons. Je l'aurais bien serrée dans mes bras, sauf qu'avec tous ses boutons, c'était juste pas possible. L'amitié, oui ; la peste bubonique, non.

Inutile de préciser que l'insensible Gaëtan n'a pas versé une larme. Il nous a regardées, perplexe, il a hoché la tête, et il a eu l'intelligence de ne pas faire de commentaires. Heureusement pour lui, sinon on le laissait à la cave.

Roudoudou était fatiguée (ça me fait tout drôle de faire l'accord au féminin), mais on voyait qu'il était contente de me revoir (pardon : **ELLE** était contente). Nous l'avons amenée avec ses petits chez le vétérinaire qui nous a expliqué un peu n'importe quoi : soi-disant que les chattes se mettent souvent à l'écart pour accoucher afin d'avoir du calme (comme si je faisais du bruit !) et de se sentir à l'abri (comme si c'était dangereux chez nous !). Moi, je pense que Roudoudou s'est retrouvée par hasard dans la cave d'Anaïs au moment où il a senti qu'il allait accoucher et qu'elle n'a pas eu le choix (zut, je m'embrouille encore entre le féminin et le masculin). Sinon, mon chatte aurait préféré faire ça dans mon lit, c'est évident. Surtout qu'Anaïs n'a pas su s'en occuper correctement. Ce n'est pas pour dire du mal (ce n'est pas mon

genre), mais elle n'a même pas pensé à prendre la marque de croquettes *MiaouMiam*.

À mes parents, j'ai donné une version un peu différente. J'ai bien insisté sur l'idée que Roudoudou avait été obligée de fuir son foyer chéri en pleine canicule pour s'isoler dans un endroit frais et accoucher toute seule, abandonnée. Et tout ça à cause de qui, hein ?

Qui n'a jamais voulu installer une piscine au bord de laquelle Roudoudou aurait pu se rafraîchir ? Qui a critiqué ma formidable invention du ventilateur à glaçons ? Toujours

les mêmes ! Bref, une bonne entreprise de culpabilisation des parents... qui a porté ses fruits. Eh oui, j'ai obtenu une piscine ! Incroyable, non ?

Bon, d'accord, c'est une piscine en plastique gonflable, elle est décorée avec les poissons clowns du *Monde de Némo* comme si j'avais quatre ans, elle contient à peine trois gobelets d'eau et on y tient difficilement à deux, mais j'ai une piscine ! En revanche, j'ai abandonné l'idée de l'iPhone, par peur de me retrouver avec un téléphone en plastique à grosses touches pour les nourrissons...

À la fin de l'été, on a fait une grande fête à la maison en l'honneur de Roudoudou et de ses bébés. J'étais trop contente de retrouver Julie et Kenza que je n'avais pas vues depuis des semaines. Je n'en pouvais plus de leurs mails trop super méga lol ptdr kiss ☺☺☺.

Les copines ont été adorables avec Roudoudou et les chatons, elles leur ont apporté plein de cadeaux. Pour moi, en revanche, le « cadeau » a été une avalanche de questions sur "**LE**" sujet de l'été : Gaëtan.

Imagine le trio Julie/Kenza/Anaïs en mode « excitation maximale ».

— Alors, Zazie, comment vont *les amours* ?

— Il paraît que vous ne vous quittez plus, tous les deux ?

— Il est chou ?

— C'est vrai que vous vous êtes *embrassés* ?

— **STOP!!!**

J'ai mis les choses au point :

— Il n'y a rien entre Gaëtan et moi ! C'est clair ?

— O.K., Zazie.

— Tu n'es pas amoureuse.

— C'est noté.

— Pas de problème.

— Sinon, vous vous êtes embrassés ?

— **NON !!!**

Il a fallu que je répète encore toute l'histoire pour qu'arrive enfin l'instant miraculeux où les filles ont accepté l'idée que Gaëtan n'était pas *mon amoureux*. C'est ce moment précis qu'a choisi maman pour réduire tous mes efforts à néant avec son insupportable sourire plein de sous-entendus.

– Zazie ? Ton **petit copain** est arrivé. Viens l'accueillir !

Inutile de te décrire la réaction des filles...

– Hiiiiiiiiiiiiiiiii !

– Petit copaiiiiiiiiin !

– Hiiiiiiiiiiiiiiiii !

Merci, maman. Merci beaucoup.

Quant à Gaëtan, il a été chouette. Il m'a apporté un cadeau joliment emballé (je vous passe les gloussements des filles en arrière-plan) : une belle édition des aventures d'Arsène Lupin, le héros de Maurice Leblanc.

– Si tu as aimé Sherlock Holmes, tu devrais apprécier *Arsène Lupin*, m'a assuré Gaëtan. La différence, c'est que Lupin n'est pas détective, mais cambrioleur. Ça pourrait nous être utile.

– Pourquoi ça ?

– On forme une bonne équipe, non ?

– Si, mais je ne vois pas ce que...

– Ça te dirait qu'on fasse un petit **CAMBRIOLAGE** un de ces jours ?

J'ai fixé Gaëtan avec de grands yeux ronds. Un cambriolage ? Qu'est-ce qui lui prenait tout à coup ? J'ai bredouillé quelques syllabes, j'ai rougi, et lui... il a éclaté de rire.

– Tu verrais ta tête ! Tu connais l'humour ?

Gaëtan qui me faisait une **BLAGUE** ! Comme quoi tout est possible dans la vie. En y repensant, je suis plutôt fière. À force de passer du temps avec moi, Gaëtan a changé. Et si, grâce à *Zazie la magicienne*, il se métamorphosait en un véritable être humain ?

Qui sait ? Peut-être la réponse bientôt dans une nouvelle aventure ?

Une dernière chose, cher ....

Je te propose de féliciter Clémence Lallemand, l'illustratrice qui a embelli chaque page de cette histoire avec ses dessins. Je pense que tu seras d'accord avec moi pour dire qu'elle a été

☐ formidable
☐ géniale
☐ brillante

Merci à elle !

L'AUTEUR

Jean-Marcel Erre (J.M. pour les intimes) a débarqué sur la planète Terre un jour de novembre 1971, sous le soleil du Sud de la France. Aujourd'hui il vit à Montpellier, au bord de la Méditerranée, pour avoir l'impression d'être en vacances toute l'année.

Comme il adore corriger des copies, J.M. enseigne le français dans un lycée de Sète avec vue sur la mer. Le reste du temps, toujours fidèle à son univers fantaisiste et humoristique, il écrit des romans publiés aux éditions Buchet-Chastel, des sketchs pour Canal+ et des scénarios pour le cinéma.

Après *Comment se débarrasser d'un vampire avec du ketchup, des gousses d'ail et un peu d'imagination*, il raconte les aventures de Zazie dans *Comment devenir Super-détective avec un copain collant, des croquettes pour chat et un peu d'imagination*.

Retrouvez J.M. Erre sur sa page Facebook
https://www.facebook.com/JM.Erre

L'ILLUSTRATRICE

Clémence Lallemand naît à la fin des années soixante-dix. Elle grandit à Paris, respirant le doux air des pots d'échappement. Après des études de lettres, elle se met au dessin, en 2002 elle est diplômée de l'ESAG-Pennighen.

C'est décidé, elle sera illustratrice. Presse, presse jeunesse, bandes dessinées, édition jeunesse : travailler, c'est la joie, surtout avec une collègue poilue qui ronronne sur ses épaules pendant qu'elle dessine !

Retrouvez la collection

sur les sites www.rageot.fr
et www.livre-attitude.fr

Achevé d'imprimer en France en janvier 2017
sur les presses de l'imprimerie Aubin (Ligugé)
Couverture imprimée par Boutaux (Le Theil sur Huisne)
Dépôt légal : février 2017
N° d'édition : 5321 - 01
N° d'impression : 1609.0393